Les *C***ontempo**
CLASSIQUES DE

L A R O

M000197545

Ceux de 14

Maurice
Genevoix,
de l'Académie française

Édition présentée,
annotée et commentée
par Charles RIVET,
docteur ès lettres

Direction de la publication : Carine GIRAC-MARINIER
Direction de la collection : Nicolas CASTELNAU-BAY
Direction éditoriale : Jacques FLORENT
Édition : Marie-Hélène CHRISTENSEN
Lecture-correction : service lecture-correction LAROUSSE
Direction artistique : Uli MEINDL
Mise en page : Monique BARNAUD, JOUVE Saran
Responsable de fabrication : Marlène DELBEKEN

Sommaire

11 Ceux de 14

Maurice Genevoix

Pour approfondir

L'auteur

Maurice Genevoix naît le 29 novembre 1890 à Decize, en Bourgogne, dans le département de la Nièvre. L'année suivante, ses parents s'installent à Châteauneuf-sur-Loire, près d'Orléans, où il passe toute une partie de sa jeunesse.

Une jeunesse douloureuse et studieuse

Reçu premier du canton au certificat d'études, Maurice Genevoix devient interne au lycée Pothier d'Orléans. Il en conservera un souvenir amer. La mort de sa mère, en 1903, le bouleverse durablement. De longues promenades sur les bords de la Loire, les études et la lecture lui sont un refuge et un réconfort. De 1908 à 1911, il poursuit des études de lettres au lycée Lakanal de Sceaux, dans la banlieue parisienne, où il est pensionnaire. En 1912, il est admis premier de sa promotion au concours d'entrée de la prestigieuse École normale supérieure. Il songe alors à mener une double carrière d'universitaire et de romancier.

Le « poilu » de 1914

La guerre en décide autrement. Mobilisé le 2 août 1914, Maurice Genevoix est affecté au 106e régiment d'infanterie. Comme sous-lieutenant puis comme commandant d'une compagnie, il participe aux violents combats de la Marne et des Hauts de Meuse. Le 25 avril 1915, il est grièvement blessé sur la colline des Éparges, près de Verdun. Il en gardera toute sa vie des séquelles. Réformé après sept mois d'hôpital, invalide à 70 °/°, ayant perdu tout usage de sa main gauche, il retourne à Paris puis, atteint de la grippe espagnole, dans le village de son enfance, Châteauneuf-sur-Loire.

Un écrivain prolixe et à succès

Maurice Genevoix décide dès lors de se consacrer à l'écriture. Récit de son expérience de la guerre, *Ceux de 14* le fait d'emblée connaître. *Raboliot*, roman de la Sologne, obtient le prix Goncourt en 1925. Auteur prolixe, il publie, entre 1925 et 1945, un roman par an. Les épreuves ne l'épargnent pourtant pas. En 1928, après la mort de son père, il s'installe définitivement aux Vernelles près de Saint-Denis-de-l'Hôtel (dans le Loiret). Marié, en 1937, à Yvonne Montrosier, il est veuf l'année suivante. La guerre l'oblige à se réfugier en Aveyron. En 1943, il épouse en secondes noces Suzanne Viales, dont il a une fille, Sylvie, l'année suivante. Revenant aux Vernelles, dans son bureau donnant sur la Loire, il continue d'écrire avec patience, obstination et passion.

Membre et secrétaire perpétuel de l'Académie française

Avec son élection, dès le premier tour, à l'Académie française, le 24 octobre 1946, Maurice Genevoix connaît la consécration sociale et littéraire. En 1958, il en devient le secrétaire perpétuel, jusqu'à sa démission en janvier 1974. En 1970, il reçoit le grand prix national des Lettres. Son activité se déploie alors dans de nombreux domaines. De 1958 à 1963, il rédige tous les discours d'attribution pour les lauréats des prix de l'Académie (prix de poésie, du roman, d'histoire…). Sous son impulsion est créé en 1966 le Conseil international de la langue française. Son œuvre personnelle s'enrichit de nouveaux romans, de livres de souvenirs. Ses fidélités restent les mêmes : à la littérature ; aux Vernelles, où, quittant Paris dès qu'il le peut, il revient toujours ; et à « ceux de 14 », dont, de célébrations en discours officiels, il perpétue le souvenir. Maurice Genevoix meurt le 8 septembre 1980 en Espagne où il était en vacances. Il est inhumé au cimetière de Passy, près de Paris. À presque quatre-vingt-dix ans, il avait encore en tête plusieurs projets de romans.

À retenir

Normalien, « poilu » en 1914, grand blessé de guerre, Maurice Genevoix (1890-1980) est un romancier à succès. Prix Goncourt, grand prix national des Lettres, membre puis secrétaire perpétuel de l'Académie française, il laisse une œuvre abondante, marquée par ses souvenirs d'enfance, par ses promenades le long de la Loire et la tragédie de la Première Guerre mondiale.

L'œuvre

Maurice Genevoix a écrit toute sa vie, pratiquement de 1914 à sa mort, en 1980. En près de soixante-dix ans, il a composé une œuvre impressionnante, comprenant cinquante-six livres, d'inspiration très variée.

 ### Les livres de guerre

C'est par ces livres sur les « poilus », nés du désir et du besoin de témoigner, que Maurice Genevoix s'est fait connaître. *Sous Verdun, août-octobre 1914* paraît en 1916, bientôt suivi de *Nuits de guerre* (1917), d'*Au seuil des guitounes* (1918), de *La Boue* (1921) et des *Éparges* (1923). L'ensemble sera republié en 1949 en un seul volume sous le titre *Ceux de 14*. Toujours pour témoigner et « transmettre », M. Genevoix reviendra en 1972 sur son expérience de la guerre dans *La Mort de près*.

 ### Les livres de terroir et les livres animaliers

Son œuvre ultérieure, rédigée à partir de 1922, a souvent été qualifiée de « régionaliste ». Celle-ci l'est en effet par son cadre géographique : les bords de Loire, la Sologne, leurs habitants et leurs animaux, que Genevoix connaît si bien depuis son enfance. Mais par ses thèmes, elle excède ce cadre géographique. Ce sont des livres de « terroir » qui décrivent la nature, évoquent la place qu'y occupe l'homme, la liberté, la vie animale. Ce sont *Rémi des Rauches* (1922), *Raboliot* (1925), roman d'un braconnier, *La Boîte à pêche* (1926) ou encore *Le Jardin dans l'île* (1936).

Appartenant à la même veine, plusieurs textes sont des bestiaires, mettant en scène un animal. Roman d'un chat, *Rroû* (1931) est sans doute le plus célèbre d'entre eux, avec *L'Écureuil du Bois-Bourru* (1947) et *Les Bestiaires* (1969-1971).

 ### Des romans-poèmes

Par l'attention portée aux jeux de lumière et de couleurs, par l'invitation au rêve que semblent lancer la forêt et le fleuve, plusieurs œuvres sont autant des romans que des poèmes. *Forêt voisine* (1931), *La Dernière Harde* (1938) et surtout *La Forêt perdue* (1967) mêlent le songe au mythe du paradis perdu, le combat de l'homme et du cerf au grand cycle de la vie et de la mort. Le réel laisse entrevoir des mystères, des arbres comme des colonnes d'église, des transpositions de souvenirs où la bête tombe comme le « poilu », le soldat de 1914. Le symbolisme et l'épopée imprègnent ces œuvres souvent considérées comme les chefs-d'œuvre de Maurice Genevoix.

Des livres d'histoire, d'aventures et de voyage

Moins connus sont ses romans, ses nouvelles ou ses carnets de voyages. Du Canada, où il a séjourné en 1939 puis en 1945, M. Genevoix a rapporté un recueil de nouvelles : *La Framboise et Bellehumeur* (1942) ; un roman, *Eva Charlebois* (1944). Ses séjours en Afrique en 1947 et 1954 sont à l'origine d'un long reportage, *Afrique blanche, Afrique noire* (1949). Quand il ne parcourt pas le monde, il s'évade dans le passé. *La Motte rouge* (1979) se déroule au XVIe siècle, dans le Rouergue, au temps des guerres de Religion et voit s'affronter deux amants – le brutal Sanglar devenu protestant et la belle Jourdaine restée catholique.

Des livres de souvenirs

M. Genevoix est enfin l'auteur de plusieurs livres de souvenirs et de réflexions. Après *Au cadran de mon clocher* (1960), il publie l'année suivante *Jeux de glace*. Dans *La Perpétuité* (1974), il évoque ses tâches et activités de secrétaire perpétuel de l'Académie française. *Un jour* (1976) et *Trente Mille Jours* (1980) sont deux textes autobiographiques.

À retenir

Auteur de plus de cinquante livres, Maurice Genevoix a composé une œuvre variée et considérable. Celle-ci reste marquée, directement ou indirectement, par l'expérience de la guerre et par le contact, permanent et bienfaisant, avec la nature, la vie animale, le terroir. Son « régionalisme » solognot et du val de Loire s'ouvre à des thèmes universels tels que la liberté, la beauté, la grandeur et aussi la férocité du monde.

Pourquoi lire l'œuvre ?

Mobilisé, le lieutenant Genevoix, âgé de 24 ans, consigne son expérience de la guerre dans des « carnets » qui deviendront *Ceux de 14*. Leur valeur en fait un document historique exceptionnel, aux profondes résonances humaines.

 ## Un document historique exceptionnel

Ceux de 14 porte témoignage de ce que les « poilus » ont vécu durant la Première Guerre mondiale. Ce n'est pas le seul récit de guerre qui fût écrit, mais c'est le seul qui s'est voulu au plus près de la réalité. Rien n'y est romancé, mis en scène, construit autour d'une intrigue. Ce sont des faits, rien que des faits, rapportés tels qu'ils se sont produits et qu'ils ont été ressentis. Par les yeux, à travers les pensées et le corps du narrateur, nous sommes aux côtés des « poilus » et nous grelottons dans les tranchées, nous rions, nous nous courbons sous les obus, nous savourons de petits bonheurs, nous montons à l'assaut, la peur et le courage au ventre, nous pleurons nos camarades tués, nous souffrons d'être blessés, nous maudissons la guerre. Eux aussi la maudissent parce qu'ils l'ont faite et de la manière dont Maurice Genevoix le décrit. Ce récit appartient autant à la littérature qu'à l'Histoire. C'est un récit et c'est un document.

 ## Un devoir de mémoire

À quoi bon revenir sur ce passé, pourrait-on toutefois objecter ? Près d'un siècle s'est depuis écoulé. Tous les combattants de cette « grande guerre » ont aujourd'hui disparu. Et leur sacrifice n'a pas empêché, vingt ans après l'armistice, le déclenchement d'une autre guerre mondiale, atroce et terrible elle aussi. Pourquoi dès lors lire un tel texte ? D'abord pour savoir et se souvenir : tant de vies fauchées et mutilées imposent un devoir de mémoire. Ensuite pour comprendre et s'interroger : ce devoir n'est pas en effet morbide, il implique une recherche d'explication, une tentative d'analyse. Comment est-on arrivé à cette gigantesque tuerie ? Comment s'y est-on résigné ? Par quels mécanismes, pour quelles ambitions, par quelle perversion ou folie ? Il faut se souvenir pour savoir, savoir pour comprendre, comprendre pour ne plus commettre les mêmes erreurs ou céder aux mêmes vertiges.

Une leçon de vie

« Ceux de 14 », qu'on appellera ensuite les « anciens combattants », n'étaient pas préparés à l'enfer dans lequel ils ont été jetés. Ils ne l'imaginaient même pas. Ils avaient vingt ans, parfois un peu plus, mais parfois aussi un peu moins, et ils avaient bien d'autres projets que de tuer et de mourir. Ils n'en sont que plus solidaires les uns envers les autres. Grièvement blessé, évacué vers « l'arrière », le narrateur songe moins à lui qu'à ses compagnons d'armes et d'infortune restés sur le front : « Que serais-je sans vous ? Mon bonheur même, sans vous, que serait-il ? » La pire des violences ne parvient pas à extirper tout sentiment, toute fraternité. Même si elle la saccage et la profane, elle ne réussit pas davantage à faire oublier la beauté du monde, d'un paysage, d'un rayon de soleil à travers les arbres. C'est un appel à ne pas désespérer de tout et de tous. La lecture de *Ceux de 14* rend la vie et la paix encore plus appréciables.

 À retenir

Ceux de 14 est bien davantage que le journal d'un combattant de la grande Guerre. Son souci d'authenticité et la simplicité de son écriture en font un document d'une valeur sans pareille. S'il porte témoignage de la souffrance et de l'héroïsme des hommes, il est aussi et surtout un réquisitoire implacable contre la guerre. Le devoir de mémoire qu'il impose se transforme ainsi en un hymne à la vie.

Ceux de 14

Maurice
Genevoix

Récit de guerre

Préface

Le 2 août 1914, la France mobilisait quatre millions d'hommes et, dans un mouvement qui anima le pays entier, les fit monter à la frontière du Nord-Est.

Rien dans le monde, à compter de cette date, ne fut plus comme avant. Parmi les hommes qui subirent le premier choc, peu ont vu la fin de la guerre, et ceux qui ont eu cette chance l'ont souvent payée d'une grave blessure. **Le sous-lieutenant d'infanterie Maurice Genevoix est l'un des survivants de l'hécatombe et son témoin capital.** Aucun des nombreux récits et témoignages sur cette guerre n'atteint la force, la vérité et l'humanité de *Ceux de 14*, témoignage inouï rédigé entre sa vingt-cinquième et sa trente-troisième année par ce jeune normalien grièvement blessé à la Tranchée de Calonne, le 25 avril 1915. Ce livre, qui fait parler, rire et revivre les hommes tués près de Maurice Genevoix, qui donne une peinture exacte des conditions de leur existence au front, de leur souffrance et de leur mort, est une référence majeure pour les historiens et une source inépuisable d'émotion pour ses nombreux lecteurs. **Un siècle après, le génie de l'écrivain témoigne avec une force intacte de l'horreur d'une époque et de la dignité des hommes qui l'ont subie.** Il dit aussi, avec pudeur, l'attachement à leur patrie et le sentiment qui les a unis, entre eux et aussi à l'ennemi qui souffrait les mêmes épreuves. **Notre paix est née de leur sacrifice et l'Europe de leur fraternité.**

Sylvie Genevoix,
Présidente de l'association « Je me souviens de Ceux de 14 »

Sous Verdun

À la mémoire de mon ami

ROBERT PORCHON

tué aux Éparges le 20 février 1915.

Prise de contact[1]

Mardi, 25 août [1914], Châlons-sur-Marne[2].
L'ordre de départ est tombé comme un coup de tonnerre :
courses précipitées par la ville, avec la crainte et la certitude
d'oublier quelque chose. Je trouve à peine le temps de prévenir les miens[3]. Dernière revue dans la cour du quartier[4]. J'étais
à la cantine lorsque l'ordre m'a surpris. J'ai bondi, traversé la
cour, et me voici, raide comme un piquet, devant deux files
de capotes bleues et de pantalons rouges[5].

Il était temps : le général arrive déjà à la droite de ma section. Au port du sabre, ma main droite serrant la poignée de
l'arme, ma main gauche pétrissant, à travers un papier gras,
ma récente emplette : deux sous de pain et une charcuterie
sans nom, qui sue.

Le général est devant moi : jeune, bien pris dans la tunique[6],
visage énergique et fin.

« Lieutenant, je vous souhaite bonne chance.

---

1. **Prise de contact :** ce titre, ainsi que tous ceux qui apparaissent dans le
   recueil, sont ceux de l'édition Flammarion. *Ceux de 14* est composé de
   5 volumes réunis en un seul ; nous donnons ici des extraits des Livres I
   (« Sous Verdun », p. 16-74) et IV (« Les Éparges », p. 75 à la fin).
2. **25 août [1914], Châlons-sur-Marne :** durant la bataille dite des frontières, tout premier épisode de la guerre.
3. **Les miens :** les soldats de ma section (entre 30 et 40 hommes).
4. **Quartier :** bâtiments d'une ville ou d'une place forte où les troupes sont
   casernées.
5. **Capotes bleues et pantalons rouges :** c'est l'uniforme des fantassins
   français, qui sera remplacé à la fin de l'année 1915 par un uniforme bleu
   horizon, moins voyant.
6. **Tunique :** veste d'uniforme.

— Merci, mon général !

— Je vous tends la main, lieutenant ! »

Eh ! parbleu, je le vois bien !... Je sens mon sandwich qui
20 s'écrase.

« Seriez-vous ému, lieutenant ? »

Un tour de passe-passe : mon sabre a filé dans ma main
gauche. Une ferme secousse à la main tendue vers moi, et je
réponds bien haut, bien clair, en cherchant les yeux :

25 « Non, mon général ! »

J'ai menti, j'étais ému. J'aurais eu honte de ne pas l'être : tant
d'impressions, de réflexions ébauchées, qui me secouaient
tout entier ! Mais j'ai bien compris le « Seriez-vous ému ? »
du général ; j'ai répondu non : j'ai dit vrai.

30 Nous allons à Troyes. On nous l'a dit. De Troyes, nous
filerons sur Mulhouse pour occuper la ville conquise[1] et la
défendre. On nous l'a dit aussi.

Cette perspective me séduit : aller en Alsace et y rester, c'est
moins crâne[2] que d'y être entré, mais c'est chic tout de même.

35 Défilé en ville : trottoirs grouillants[3], mouchoirs qu'on
agite, sourires et pleurs.

Une erreur de route nous vaut quelques kilomètres de plus,
pas cadencé : les plus vieux réservistes[4], dodus encore, suent
à grosses gouttes, sans ronchonner.

40 Nous avons aperçu des blessés à la porte d'une grande
bâtisse grise. Ils nous ont montré, à bout de bras, des casques

---

1. **Mulhouse [...] ville conquise :** depuis la défaite de 1870, l'Alsace, dont
   fait partie Mulhouse, et la Lorraine sont allemandes. La ville a été prise
   par les Français le 8 août, reprise par les Allemands le 10 août, reprise
   par les Français le 18 et abandonnée le 25.
2. **Moins crâne :** moins glorieux.
3. **Grouillants :** grouillants de monde, des habitants de Mulhouse.
4. **Les plus vieux réservistes :** la loi de 1913 a porté la durée du service
   actif à trois ans, au terme duquel on était obligatoirement versé dans la
   réserve pour une durée de onze ans. En 1914, les réservistes les plus âgés
   sont donc nés en 1869/1870.

à pointe[1] et des petits calots ronds, à bordure rouge et fond kaki. « Nous aussi, nous y allons, les amis ! »

Une jeune ouvrière, blonde, rebondie, me sourit de toutes
45 ses dents. Grand bien me fasse le sourire : je vais à la guerre ; j'y serai demain.

Le train : ligne noire de fourgons béants, avec quelques wagons de première. L'embarquement est tumultueux ; un jeune commandant basané pousse son cheval à travers
50 les groupes, en vociférant. Le peuple murmure. Pourquoi diable a-t-il donné l'ordre d'arracher les petits drapeaux tricolores dont la foule ondulait tout à l'heure sur le bataillon en marche ?...

Départ lent, le soir venu. Couchant lourd, monstrueux
55 nuages pourpres et or fauve.

Cahin-caha, le convoi roule dans la nuit. Notre vieux capitaine de la 27 extirpe, du fond de ses souliers blindés[2], des chaussettes jaunes toutes neuves. On s'étire, on grogne, on ronfle. Un aiguilleur, en aiguillant, nous crie où nous allons :
60 « Troyes ? Ah ! bien ouiche[3] ! Vous roulez sur Verdun[4] !... »

Croyez donc ce qu'on vous dit. Cela est la première « tinette[5] ».

Wagon morose des voyages de nuit. Les visages apparaissent blafards[6], sous la lumière qui filtre à travers l'écran

---

1. **Casques à pointe :** casques des soldats allemands (la pointe devant les protéger des coups de sabre de la cavalerie).
2. **Souliers blindés :** souliers solidement ferrés.
3. **Ouiche :** interjection populaire marquant l'incrédulité avec une pointe de moquerie envers celui à qui l'on parle.
4. **Vous roulez sur Verdun :** Verdun est un verrou et un camp retranché ; il ne s'agissait pas encore de la terrible bataille de Verdun qui débutera presque dix-huit mois plus tard, en février 1916.
5. **Tinette :** récipient mobile servant de latrines.
6. **Blafards :** pâles.

65 bleu[1]. De loin en loin, une ombre vague, en haut du remblai, à peine entrevue sur le ciel sans clarté : c'est un garde-voie qui monte la faction. De grands pinceaux blancs[2] évoluent dans la nuit, fouillant les ténèbres.

Des murs, quelques réverbères falots : c'est Verdun. Nous 70 continuons encore cinq ou six kilomètres, jusqu'à Charny[3]. Il est une heure du matin. Dans le tumulte, face aux portes des fourgons qui soufflent une haleine lourde, les sections se reconstituent. Et l'on se met en marche, lentement, pesamment. [...]

Les Allemands passent la Meuse

Vendredi, 28 août [1914].

[...] Nous creusons, sous une crête où le vent souffle, de profondes tranchées pour tireurs debout. Je respire en goulu[4], heureux d'être au soleil, de me sentir allègre[5], pendant que 5 mes hommes tapent du pic[6] et lancent par-dessus le parapet ébauché des pelletées de cailloux.

Nous dominons de là-haut un immense vallon arrondi : au bas de la pente, des bois sombres, avec les grandes enclaves lumineuses des moissons mûres. Là-bas, dans le creux, un vil- 10 lage blanc sous des feuilles, Dannevoux. Et tout au fond, par-delà la Meuse qu'on ne voit pas, une chaîne de collines bleues.

---

1. **L'écran bleu :** l'écran, bleuté, de protection des lumières pour ne pas éveiller l'attention de l'ennemi.
2. **Grands pinceaux blancs :** faisceaux de projecteurs.
3. **Charny :** il s'agit de Charny-sur-Meuse, au nord de Verdun.
4. **En goulu :** avec avidité.
5. **Allègre :** plein d'entrain.
6. **Pic :** sorte de pioche pour creuser la terre et casser les cailloux.

Jusqu'au soir, on creuse avec entrain. Pendant plusieurs heures, nous avons entendu un grondement grave et continu : canonnade violente mais lointaine. Déjeuner sur le bord
15 de la route ; nous déchiquetons des doigts et des dents une volaille carbonisée, en buvant du vin épais à même le goulot des bidons. Je couche, comme la veille, avec mon bonhomme[1] ; mais cette nuit-là, j'entends des borborygmes[2], et je suis réveillé à chaque volte[3] de son gros corps.

20 **Samedi, 29 août.**
Sous un soleil blanc et fixe, les hommes, chemise ouverte et gouttes de sueur sur la peau, achèvent de creuser leurs tranchées. Par-dessus le grondement des batteries éloignées, nous distinguons, assourdies encore et ouatées, les détona-
25 tions de batteries plus proches. Je perçois, en tendant l'oreille, des sifflements légers, qui se brisent en une explosion miaulante : ce sont des shrapnells[4] qui éclatent, lentement dissipés dans l'air calme. [...]

Lundi, 31 août.
30 Nous repartons pour les bois de Septsarges. La journée débute comme celle de la veille. Grillon, coiffeur patenté, me rase ; sensation qui déjà me semble étrange : deux sacs sous les fesses, un arbre dans le dos. Je le paie[5] avec du tabac « fin » ; il m'embrasserait. La sieste recommence, rampante
35 avec l'ombre.
Vers deux heures, du nouveau ; nous remontons au nord-est, le long des bois, traînaillons longtemps en tous sens, pour arriver enfin au point fixé, des tranchées faites par le génie,

---

1. **Avec mon bonhomme :** faute de place suffisante, les soldats dorment deux par deux.
2. **Borborygmes :** gargouillis.
3. **À chaque volte :** à chaque demi-tour.
4. **Shrapnells :** obus remplis de balles qu'ils projettent en éclatant.
5. **Je le paie :** je paie le coiffeur.

avec des abattis[1] en avant. Nous les occupons. J'ai une « guitoune[2] » de feuilles un peu en arrière.

C'est là que je passe la nuit. Les branches dont le sol est
jonché m'entrent dans les flancs. Mon équipement ne se
tasse pas, et mon sac, sous ma tête, me semble dur. Je n'ai
pas encore l'habitude.

Mardi, 1er septembre.

Les cuisiniers vont faire en arrière la soupe et le jus[3] ; mais
bientôt, c'est la bousculade : la bataille crépite en avant de
nous. Le capitaine nous fait dire que notre première ligne doit
être enfoncée, qu'il faut redoubler de vigilance. Porchon, mon
saint-cyrien[4], envoie par ordre une patrouille sur la gauche.
Presque aussitôt, des claquements de lebels[5], et la patrouille,
affolée, dégringole : elle a vu des Boches[6] et tiré. Mes hommes
s'agitent, s'ébrouent[7] ; il y a de l'anxiété dans l'air.

Soudain, un sifflement rapide qui grandit, grandit... et
voilà deux shrapnells[8] qui éclatent, presque sur ma tranchée. Je me suis baissé ; j'ai remarqué surtout l'expression
angoissée d'un de mes hommes. Cette vision me reste. Elle
fixe mon impression.

Encore mon agent de liaison[9] qui arrive en courant :

---

1. **Abattis :** branchages et arbres abattus qui constituent une protection.
2. **Guitoune :** abri de campement, en argot militaire.
3. **Le jus :** le café.
4. **Mon saint-cyrien :** officier de carrière passé par l'École spéciale militaire de Saint-Cyr (aujourd'hui transférée à Coëtquidan, dans le Morbi-
han), supérieur et ami du narrateur.
5. **Lebels :** fusils équipant l'armée française (du nom de leur inventeur).
6. **Des Boches :** des Allemands (appellation familière, railleuse et agressive).
7. **S'ébrouent :** se désengourdissent.
8. **Shrapnells :** voir note 4, p. 20.
9. **Agent de liaison :** soldat assurant la « liaison », la transmission des
ordres entre le poste de commandement et les compagnies ou sections.

60 « Le capitaine m'envoie vous prévenir qu'il n'y a plus rien devant nous[1] ; nous sommes face aux Allemands ! »

Est-ce vrai ? Nous avons vu passer des blessés, des fuyards. Un caporal de la 27[2], blême et suant, me crie que Dalle-Leblanc a une balle dans le ventre. Un grand diable, la cuisse traver-
65 sée, meugle. Il bute des deux pieds et pèse de tout son poids sur les deux hommes qui le soutiennent.

La nouvelle me parvient, je ne sais comment, que le 67e[3] se replie, sur notre gauche en principe. C'est exact. Il nous remplace dans nos tranchées, et nous nous portons sur de
70 nouvelles positions, à cinq cents mètres en arrière.

Ligne de sections par quatre[4] dans le bois, près d'une clairière. Les chaudrons[5] dégringolent. Un réserviste, grand, blond-roux, au premier qui explose, se retourne brusquement, me crie qu'il est blessé. Il est blafard et tremble violem-
75 ment : c'est une branchette qui l'a piqué, comme il se baissait.

Un second chaudron, et c'est la ruée frénétique[6] de Ferral[7], serrant son poignet ensanglanté. Un troisième : le caporal Trémault reçoit dans la joue le bout d'un canon de fusil. Il est estomaqué un moment, puis, ses esprits revenus, il sacre
80 jusqu'à extinction[8].

L'arrosage[9] continue. Nous attendons qu'il cesse, boulés[10] côte à côte sous nos sacs. Comme je relève la tête pendant une brève accalmie, mes yeux rencontrent ceux d'un

---

1. **Il n'y a plus rien devant nous :** il n'y a plus de défense (française).
2. **La 27 :** la 27e compagnie.
3. **Le 67e :** le 67e régiment d'infanterie.
4. **Ligne de sections par quatre :** les sections avancent en ligne sur quatre rangées.
5. **Chaudrons :** obus de gros calibre.
6. **Frénétique :** effrénée.
7. **Ferral :** un soldat de la section.
8. **Il sacre jusqu'à extinction :** il jure à n'en plus finir.
9. **L'arrosage :** les obus qui pleuvent, les tirs de l'artillerie.
10. **Boulés :** recroquevillés.

de mes hommes, attentivement fixés sur moi. Tournant un
85 peu le cou, j'en vois un autre, un autre encore, qui me regardent avec la même expression attentive, sans malveillance,
mais très aiguë. Cela met dans mes veines une bonne chaleur,
vivante, tonique, dont je n'oublierai plus le bienfait.

La nuit. Plainte des blessés au loin. Un cheval mutilé hen-
90 nit. Gémissement étrange et poignant : je crois d'abord que
c'est un oiseau de nuit qui hulule[1].

Je fais le quart[2] jusqu'à onze heures, perclus de froid[3]. J'ai
réveillé Porchon depuis une demi-heure à peine, je ne suis
pas encore endormi, lorsque vient l'ordre de départ : nous
95 retournons aux tranchées de Cuisy[4].

Mercredi, 2 septembre.

Il est deux heures quand on arrive. On s'installe, avec une
impression de sécurité et de force. Ont-ils[5] passé la Meuse
en nombre ? Peut-être. Mais, de là-haut, nous pouvons les
100 attendre. Un mitrailleur est venu, il y a quatre jours, avec un
télémètre[6], et je lui ai demandé des distances exactes. S'ils
viennent, je commanderai les feux qu'il faudra[7].

En attendant, dormons. Les étoiles sont limpides et fixes ;
l'air fraîchit à l'approche du jour. Je me pelotonne dans ma
105 capote, tout au fond de la tranchée, sur une couche de luzerne[8]
sèche, et je somnole un peu, sommeil coupé de réveils gelés.

Mes hommes, en se secouant autour de moi, achèvent de
m'éveiller. Je me frotte les yeux, m'étire les bras, saute sur mes

---

1. **Qui hulule :** qui crie (en parlant des oiseaux de nuit, comme le hibou).
2. **Je fais le quart :** je monte la garde (pendant quatre heures en principe).
3. **Perclus de froid :** transi de froid au point d'en être engourdi.
4. **Cuisy :** nom d'un petit village au nord de Verdun.
5. **Ils :** les Allemands.
6. **Télémètre :** appareil de mesure des distances.
7. **Je commanderai les feux qu'il faudra :** je pourrai ajuster les tirs sur les bonnes positions.
8. **Luzerne :** plante fourragère.

pieds. Le soleil couvre déjà les champs d'une marée de clarté
110 douce. Je reconnais notre vallon, avec les points de repère
échelonnés jusqu'à l'extrême limite du tir possible.

Beaucoup d'aéros[1], les nôtres lumineux et légers, les boches
plus sombres et plus ternes, semblables à de grands rapaces
au vol sûr.

115 Devant nous, des uhlans[2] en vedette à la lisière d'un bois,
cheval et cavalier immobiles. De temps en temps seulement,
la bête chasse les mouches en balayant ses flancs de sa queue.

À la jumelle, je vois sur un chemin deux blessés qui se
traînent, deux Français. Un des uhlans les a aperçus. Il a mis
120 pied à terre, s'avance vers eux. Je suis la scène de toute mon
attention. Le voici qui les aborde, qui leur parle ; et tous les
trois se mettent en marche vers un gros buisson voisin de la
route, l'Allemand entre les deux Français, les soutenant, les
exhortant sans doute de la voix. Et là, précautionneusement,
125 le grand cavalier gris aide les nôtres à s'étendre. Il est courbé
vers eux, il ne se relève pas ; je suis certain qu'il les panse.

À deux heures, les obus recommencent à siffler. Il y a une
batterie[3] sur la crête en arrière ; c'est elle qui ouvre le feu.
Elle tire depuis quelques minutes, lorsqu'une marmite[4] alle-
130 mande vient éclater à vingt mètres de nous.

J'ai relevé la tête, automatiquement, dès la seconde qui a
suivi l'explosion. Et voilà qu'une chose invisible passe en ron-
flant près de mon nez. Un homme, près de moi, dit en riant :
« Tiens ! les frelons[5]... » Bon ! à la prochaine marmite, j'atten-
135 drai, pour me relever, que l'essaim entier soit passé.

Je n'attends pas longtemps : en voici quatre à la fois, et
puis trois, et puis dix. Cela dure une heure à peu près. Nous

---

1. **Aéros :** aéroplanes (survolant pour observation le champ de bataille).
2. **Uhlans :** cavaliers allemands.
3. **Batterie :** pièces d'artillerie.
4. **Marmite :** obus de gros calibre.
5. **Frelons :** obus volant et sifflant en « essaim ».

sommes tous collés au fond de la tranchée, le corps en boule, le sac sur la tête. Entre chaque rafale, mes deux voisins de
140 droite creusent fébrilement une niche dans la paroi. Ils s'y fourrent, comme un lapin dans son terrier ; je ne vois plus que les clous de leurs semelles.

Une fumée noire, cuivrée, qui pique la gorge et fait mal aux poumons, nous enveloppe de ténèbres fantastiques. Elle
145 n'a pas eu le temps de se dissiper que déjà siffle une nouvelle rafale. On l'entend venir, irrésistible ; je perçois le choc mat du premier obus sur la terre avant d'être assourdi par la salve des explosions.

Pendant une brève accalmie, le bruit d'une course me
150 fait tourner la tête : c'est un de mes hommes, Pinard, qui a bondi hors de la tranchée, là-bas à gauche, et qui se rue vers la droite, sac au dos et fusil à la main, dans un chahut invraisemblable, baïonnette cliquetante, gamelle trépidante, cartouches grelottantes[1]. Il me regarde au passage avec des yeux
155 dilatés, et va tomber comme un bolide sur des camarades qui font carapace avec le sac. Ils le reçoivent sur les reins avant d'avoir pu se garer. Avalanche de taloches[2] ponctuée d'engueulades. Une rafale de six marmites les met d'accord. L'une d'elles est tombée à cinq mètres : il m'a semblé que le mur de
160 terre me poussait, et j'ai reçu en plein sur mon sac une pierre de quelques kilos, qui m'a collé le nez dans la glaise et abruti pour cinq minutes.

Soleil couchant, très beau, très apaisant. La nuit s'annonce transparente et douce. Je me promène devant la tranchée,
165 dans un champ de luzerne, m'arrêtant au bord des entonnoirs énormes creusés par les obus, et ramassant de-ci de-là des morceaux d'acier déchiquetés, encore chauds, ou des fusées de cuivre, presque intactes, sur quoi se lisent des abréviations

---

1. **Cartouches grelottantes :** les cartouches, portées à la ceinture, font un bruit de grelot.
2. **Taloches :** gifles, claques (familièrement).

et des chiffres. Et puis, je rentre « chez moi », et m'étends à
170 terre pour dormir. [...]

Les jours de la Marne

Dimanche, 6 septembre [1914].

Une heure et demie du matin. Sacs à terre, fusils dessus,
en ligne de sections par quatre[1] à la lisière d'un petit bois
maigre, des bouleaux sur un sol pierreux. Il fait froid. Je vais
5 placer en avant un poste d'écoute et reviens m'asseoir parmi
mes hommes. Immobilité grelottante ; les minutes sont longues. L'aube blanchit. Je ne vois autour de moi que des visages
pâlis et fatigués.

Quatre heures. Une dizaine de coups de feu, sur notre
10 droite, me font sursauter au moment où j'allais m'assoupir. Je
regarde, et vois quelques uhlans qui s'enfuient au galop, hors
d'un boqueteau[2] voisin où ils ont dû passer la nuit.

Le jour grandit, clair et léger. Mon camarade de lit de
Nubécourt débouche son inépuisable bidon, et nous buvons,
15 à jeun, une goutte d'eau-de-vie sans bouquet[3], de l'alcool pur.

Enfin le capitaine nous réunit et, en quelques mots, nous
renseigne :

« Un corps d'armée[4] allemand, dit-il, marche vers le sud-
ouest, ayant pour flanc-garde une brigade qui suit la vallée
20 de l'Aire. Le 5e corps français va buter[5] le corps allemand

---

1. **En ligne de sections par quatre :** voir note 4, p. 22.
2. **Boqueteau :** petit bois.
3. **Sans bouquet :** sans arôme.
4. **Corps d'armée :** grand ensemble autonome d'une armée comprenant
plusieurs divisions.
5. **Buter :** affronter, se heurter (à).

en avant ; nous allons, tout à l'heure, prendre la brigade[1] de flanc. »

Face à l'Aire, Sommaisne[2] derrière nous, on creuse des tranchées avec les pelles-pioches[3] portatives. Les hommes
25 savent qu'on va se battre : ils activent. En avant et à gauche, vers Pretz-en-Argonne, un bataillon du 5e corps nous couvre. Je vois à la jumelle, sur le toit d'une maison, deux observateurs immobiles.

Les tranchées s'ébauchent[4]. On y est abrité à genoux. C'est
30 déjà bien.

Vers neuf heures, le bombardement commence. Les marmites sifflent sans trêve, éclatent sur Pretz, crèvent des toits, abattent des pans de murs. Nous ne sommes pas repérés, nous sommes tranquilles. Mais nous sentons la bataille toute
35 proche, violente, acharnée.

Onze heures : c'est notre tour. Déploiement en tirailleurs[5] tout de suite. Je ne réfléchis pas ; je n'éprouve rien. Seulement, je ne sens plus la fatigue fiévreuse des premiers jours. J'entends la fusillade tout près, des éclatements d'obus encore lointains.
40 Je regarde, avec une curiosité presque détachée, les lignes de tirailleurs bleues et rouges, qui avancent, avancent, comme collées au sol. Autour de moi, les avoines s'inclinent à peine sous la poussée d'un vent tiède et léger. Je me répète, avec une espèce de fierté : « J'y suis ! J'y suis ! » Et je m'étonne de
45 voir les choses telles que je les vois d'ordinaire, d'entendre des coups de fusil qui ne sont que des coups de fusil. Il me semble, pourtant, que mon corps n'est plus le même, que je devrais éprouver des sensations autres, à travers d'autres organes.

---

1. **Brigade :** unité composée de deux régiments.
2. **Sommaisne :** petit village de la Meuse.
3. **Pelles-pioches :** outils munis d'un fer en forme de pioche pour creuser et de houe de l'autre pour gratter la terre ou en enlever.
4. **S'ébauchent :** se creusent, prennent forme.
5. **Déploiement en tirailleurs :** ordre de marche sur une ligne des soldats prêts à tirer ou à charger à la baïonnette.

« Couchez-vous ! »

50 Quelques-uns viennent de chanter[1] au-dessus de nous. Le crépitement de la fusillade couvre leur petite voix aiguë, mais je me rends compte qu'en arrière leur chanson se prolonge en s'effilant, très loin.

Nous commençons à progresser. Ça marche, vraiment, 55 d'une façon admirable, avec la même régularité, la même aisance qu'au champ de manœuvre. Et peu à peu monte en moi une excitation qui m'enlève à moi-même. Je me sens vivre dans tous ces hommes qu'un geste de moi pousse en avant, face aux balles qui volent vers nous, cherchant les poitrines, 60 les fronts, la chair vivante.

On se couche, on se lève d'un saut, on court. Nous sommes en plein sous le feu. Les balles ne chantent plus ; elles passent raide, avec un sifflement bref et colère. Elles ne s'amusent plus ; elles travaillent.

65 Clac ! Clac ! En voici deux qui viennent de taper à ma gauche, sèchement. Ce bruit me surprend et m'émeut : elles semblent moins dangereuses et mauvaises lorsqu'elles sifflent. Clac ! Des cailloux jaillissent, des mottes de terre sèche, des flocons de poussière : nous sommes vus, et visés. En avant ! 70 Je cours le premier, cherchant le pli de terrain, le talus, le fossé où abriter mes hommes, après le bond, ou simplement la lisière de champ qui les fera moins visibles aux Boches. Un geste du bras droit déclenche la ligne par moitié ; j'entends le martèlement des pas, le froissement des épis que fauche 75 leur course. Pendant qu'ils courent, les camarades restés sur la ligne tirent rapidement, sans fièvre. Et puis, lorsque je lève mon képi, à leur tour ils partent et galopent, tandis qu'autour de moi les lebels crachent leur magasin.

Un cri étouffé à ma gauche ; j'ai le temps de voir l'homme, 80 renversé sur le dos, lancer deux fois ses jambes en avant ;

---

1. **Quelques-uns viennent de chanter** : quelques coups de fusils viennent de siffler.

une seconde, tout son corps se raidit ; puis une détente, et ce n'est plus qu'une chose inerte, de la chair morte que le soleil décomposera demain.

En avant ! L'immobilité nous coûterait plus de morts que l'assaut. En avant ! Les hommes tombent nombreux, arrêtés net en plein élan, les uns jetés à terre de toute leur masse, sans un mot, les autres portant les mains, en réflexe, à la place touchée. Ils disent : « Ça y est ! » ou : « J'y suis ! » Souvent un seul mot, bien français. Presque tous, même ceux dont la blessure est légère, pâlissent et changent de visage. Il me semble qu'une seule pensée vit en eux : s'en aller, vite, n'importe où, pourvu que les balles ne sifflent plus. Presque tous aussi me font l'effet d'enfants, des enfants qu'on voudrait consoler, protéger. J'ai envie de leur crier, à ceux de là-bas[1] : « Ne les touchez pas ! Vous n'en avez plus le droit ! Ils ne sont plus des soldats. »

Et je parle à ceux qui passent :

« Allons, mon vieux, du courage ! À trente mètres de toi, tu vois, derrière cette petite crête, il n'y a plus de danger... Oui, ton pied te fait mal, il enfle : je sais bien. Mais on te soignera tout à l'heure. N'aie pas peur. »

L'homme, un caporal, s'éloigne à quatre pattes, s'arrête, se retourne avec des yeux de bête traquée, et reprend sa marche de crabe, gauche et tourmentée.

Enfin ! je les vois ! Oh ! à peine. Ils se dissimulent derrière des gerbes qu'ils poussent devant eux ; mais à présent je sais où ils sont, et les balles qu'on tirera autour de moi trouveront leur but.

La marche en avant reprend, continue, sans flottement. J'ai confiance, je sens que ça va. C'est à ce moment qu'arrive un caporal-fourrier[2], essoufflé, le visage couvert de sueur :

---

1. **Ceux de là-bas :** les Allemands qui sont « là-bas », en face.
2. **Caporal-fourrier :** sous-officier chargé du cantonnement et du ravitaillement des troupes.

« Mon lieutenant !

— Qu'est-ce qu'il y a ?

— Le commandant m'envoie vous dire que vous vous êtes
115 trop avancés. Le mouvement s'est fait trop vite. Il faut s'arrêter et attendre les ordres. »

J'amène ma section derrière une ondulation légère du
terrain, dans un pli vaguement indiqué mais où les balles,
quand même, frappent moins. Nous sommes là, couchés,
120 attendant ces ordres qui s'obstinent à ne pas venir. Partout,
au-dessus de nous, devant nous, à droite, à gauche, ça siffle,
miaule, ronfle, claque. À quelques pas de moi, les balles d'une
mitrailleuse assourdissante arrivent dans la terre, obstinées,
régulières et pressées. La poussière se soulève, les cailloux
125 sautent. Et je suis pris d'une tentation irraisonnée de m'ap-
procher de cette rafale mortelle, jusqu'à toucher cet invisible
faisceau d'innombrables et minuscules lingots de métal, dont
chacun peut tuer.

Les minutes se traînent, longues, énervantes. Je me sou-
130 lève un peu, pour essayer de voir ce qui se passe. À gauche,
la ligne ténue des tirailleurs se prolonge sans fin : tous les
hommes restent aplatis contre leurs sacs debout, et tirent.
Derrière un champ d'épis seulement, il y en a une vingtaine
qui se lèvent pour viser. Je vois distinctement le recul[1] de
135 leur arme, le mouvement de leur épaule droite que le départ
du coup rejette en arrière. Petit à petit, je reconnais : voici
la section Porchon, et Porchon lui-même, fumant une ciga-
rette. Voici la section du saint-maixentais[2], disloquée un peu.
Et plus loin, les tirailleurs[3] de la 8ᵉ. Derrière eux, un petit
140 homme se promène, debout, tranquille et nonchalant. Quel

---

1. **Recul :** mouvement mécanique du fusil vers l'arrière après le départ du
coup de feu.
2. **Saint-maixentais :** sous-officier de carrière passé par l'école militaire de
Saint-Maixent, dans les Deux-Sèvres.
3. **Tirailleurs :** fantassins des unités légères de l'infanterie déployés devant
le front des troupes pour harceler l'ennemi.

est ce téméraire ? À la jumelle, je distingue une barbe dorée,
la fumée bleue d'une pipe : c'est le capitaine Maignan. On
m'avait déjà dit son attitude au feu.

Les ordres, bon Dieu, les ordres ! Qu'est-ce qu'il y a ?
145 Pourquoi nous laisse-t-on là ? Je me lève, décidément. Il
faut que je sache ce que font les Boches, où ils sont à présent. Je gravis la pente douce, sautant d'un tas de gerbes à
un autre, jusqu'à voir par-dessus la crête : là-bas, à quatre ou
cinq cents mètres, il y a des uniformes gris-verdâtre, dont
150 la teinte se confond avec celle des champs. Il me faut toute
mon attention pour les discerner. Mais, par deux fois, j'en ai
vu qui couraient une seconde.

Presque sur leur ligne, loin à droite, un groupe d'uniformes
français autour d'une mitrailleuse qui pétarade à triple vitesse.
155 Je vais placer mes hommes ici ; ça n'est pas loin, et au moins
ils tireront.

Comme je redescends, un sifflement d'obus m'entre dans
l'oreille : il tombe vers la 8e, dont la ligne se rompt un court
espace, puis se renoue presque aussitôt. Un autre sifflement,
160 un autre, un autre : c'est le bombardement. Tout dégringole
exactement sur nous.

« Oh !... » Dix hommes ont crié ensemble. Une marmite
vient d'éclater dans la section du saint-maixentais. Et lui, je
l'ai vu, nettement vu, recevoir l'obus en plein corps. Son képi
165 a volé, un pan de capote, un bras. Il y a par terre une masse
informe, blanche et rouge, un corps presque nu, écrabouillé.
Les hommes, sans chef, s'éparpillent.

Mais il me semble... Est-ce que notre gauche ne se replie
pas ? Cela gagne vers nous, très vite. Je vois des soldats qui
170 courent vers Sommaisne, sous les obus. Chaque marmite
en tombant fait un grand vide autour d'elle, dispersant les
hommes comme on disperse, en soufflant, la poussière. La 8e,
maintenant. Si Maignan était là, il la ramènerait. Il m'a semblé,
tout à l'heure, que je le voyais porter une main à son visage.
175 La section Boidin suit et lâche : personne, non plus, pour la

maintenir. La section voisine à présent. Et soudain, brutalement, nous sommes pris dans la houle[1] : voici des visages
inconnus, des hommes d'autres compagnies qui se mêlent
aux nôtres et les affolent. Un grand capitaine maigre, celui
180 de la 5ᵉ, me crie que le commandant a donné l'ordre de battre
en retraite, que nous n'avons pas été soutenus à temps, que
nous sommes seuls, et perdus si nous restons. C'est l'abandon de la partie.

De toutes mes forces, j'essaie de maintenir l'ordre et le
185 calme. Je marche les bras étendus, répétant :

« Ne courez pas ! Ne courez pas ! Suivez-moi ! »

Et je cherche les défilements[2] pour épargner le plus
d'hommes possible. J'en ai un qui reçoit une balle derrière le
crâne, au moment où il va franchir une clôture en fil de fer :
190 il tombe sur le fil et reste là, cassé en deux, les pieds à terre,
la tête et les bras pendant de l'autre côté.

Les obus nous suivent, marmites et shrapnells. Trois fois,
je me suis trouvé en pleine gerbe d'un shrapnell, les balles de
plomb criblant la terre autour de moi, fêlant des têtes, trouant
195 des pieds ou crevant des gamelles. On va, dans le vacarme et
la fumée, apercevant de temps en temps, par une trouée, le
village, la rivière sous les arbres. Et toujours, par centaines,
les obus nous accompagnent.

Je me souviens que je suis passé à côté d'un de mes sergents
200 que deux hommes portaient sur leurs fusils ; il m'a montré
sa chemise déchiquetée, toute rouge, et son flanc lacéré par
un éclat d'obus ; les côtes apparaissaient dans la chair à vif.

Je marche, je marche, épuisé maintenant et trébuchant.
Je bois, d'une longue gorgée, un peu d'eau restée au fond de
205 mon bidon. On n'a rien mangé depuis la veille.

---

1. **Dans la houle :** dans le flot des soldats battant en retraite.
2. **Défilements :** mises à couvert que peut offrir le terrain (talus, fossé…).

Quand nous arrivons au ruisseau, les hommes se ruent vers la berge, et goulûment se mettent à boire, accroupis vers l'eau bourbeuse et lapant comme des chiens.

Il doit être sept heures. Le soleil décline dans un rayonnement d'or fauve. Le ciel, sur nos têtes, est d'une émeraude[1] transparente et pâle. La terre devient noire, les couleurs s'éteignent. Nous quittons Sommaisne : c'est la nuit. Des ombres de traînards, en longues théories[2].

Nous nous arrêtons près de Rembercourt. Alors, je m'allonge sur la terre nue, appelant le sommeil. Et dans le temps qu'il met à venir, j'entends le roulement, sur les routes, des voitures pleines de blessés ; et là-bas, dans Sommaisne, les chocs sourds des crosses dans les portes et les hurlements avinés[3] des Allemands qui font ripaille. [...]

Jeudi, 10 septembre.

Des frôlements doux sur la figure : ce sont des gouttes de pluie, larges, tièdes. Ai-je dormi ? Quelle heure peut-il être ? Le vent se lève, la nuit est noire toujours. Je distingue vaguement, un peu à droite et devant ma tranchée, un gros tas sombre : des bottes de paille amoncelées, dans lesquelles sont enfouis le commandant, le capitaine et leurs agents de liaison.

Je vais essayer de me rendormir, lorsque quelques balles sifflent au-dessus de moi. Il m'a semblé qu'elles étaient tirées de tout près. Pourtant, il y a du monde devant nous ; je sais que ma compagnie est réserve[4] des avant-postes. Alors ?

Je n'ai pas le temps de chercher à comprendre. Brusquement, une fusillade intense éclate, gagnant de proche en proche tout le long de la ligne, avec une vitesse inouïe. Les détonations

---

1. **D'une émeraude :** d'une couleur, verte, semblable à celle de la pierre précieuse qu'est l'émeraude.
2. **En longues théories :** en longues colonnes.
3. **Hurlements avinés :** hurlements poussés par des Allemands ivres.
4. **Est réserve :** est en réserve pour prêter main-forte aux avant-postes si nécessaire.

claquent aigrement. Aucun doute : ce sont les Boches qui
235 tirent ; nous sommes attaqués.

« Debout tout le monde ! Debout ! Allons, debout ! »

Je secoue le caporal qui dort près de moi. D'un bout à l'autre
de la section, c'est un long bruit de paille froissée ; puis des
baïonnettes tintent, des culasses[1] cliquettent.

240 Je me rappelle que j'ai vu le commandant et le capitaine
descendre dans la tranchée, à ma droite, et qu'aussitôt des
silhouettes noires se sont profilées à la crête toute proche, à
peine visible sur le ciel sans clarté. Elles n'étaient pas à trente
mètres quand j'ai aperçu les pointes des casques. Alors j'ai
245 commandé, en criant de toutes mes forces, un feu à répétition.

Juste à ce moment, des clameurs forcenées jaillissaient de
cette masse noire et dense qui s'en venait vers nous :

« *Hurrah ! Hurrah ! Vorwärts*[2] *!* »

Combien de milliers de soldats hurlent à la fois ? La terre
250 molle frémit du martèlement des bottes. Nous allons être
atteints, piétinés, broyés. Nous sommes soixante à peine ;
notre ligne s'étire sur un seul rang de profondeur : nous
ne pourrons pas résister à la pression de toutes ces rangées d'hommes qui foncent sur nous comme un troupeau
255 de buffles.

« Feu à répétition ! Feu ! »

À mes oreilles, des détonations innombrables crèvent
l'air, en même temps que de brefs jets de flammes hachent
les ténèbres. Tous les fusils de la section crachent ensemble.
260 Et je vois un grand vide se creuser au cœur de la masse
hurlante. J'entends des bramées[3] d'agonie, comme de bêtes
frappées à mort. Les silhouettes noires fuient vers la droite
et la gauche, comme si, devant ma tranchée, sur toute sa lon-

---

1. **Culasses :** les culasses des fusils sont des pièces d'acier contenant le
   système de percussion.
2. *Vorwärts :* en avant (en allemand).
3. **Bramées :** râles, grognements.

gueur, un ouragan soufflait dont la violence terrible renverse-
265 rait les hommes à terre, ainsi que fait un vent d'orage les épis.

Et mes soldats, autour de moi, me disent :

« Attention, mon lieutenant ! Voyez-les : ils se couchent !

— Non, les amis ! Non, non ! Ils tombent. »

Et je piétine, en proie à une exaltation qui touche à la folie.
270 Je répète : « Feu ! Feu ! » Je crie : « Allez ! Allez ! Mettez-y-en !
Allez ! Allez ! Feu ! «

Mes hommes manœuvrent les culasses d'un geste sec,
mettent en joue, à peine, et lâchent le coup, en plein tas. Ils
tombent là-dedans par paquets. Le vide grandit ; il n'y a plus
275 personne devant nous. Mais les ombres se massent vers la
droite et la gauche. Elles vont déborder la tranchée, l'enve-
lopper. Rien, là-bas, pour endiguer cette coulée incessante ;
nous autres, nous n'avons pu que l'arrêter un moment, la
faire refluer vers les côtés. L'immense houle va se refermer
280 derrière nous ; ce sera fini.

« *Hurrah ! Vorwärts !...* »

Ils s'excitent en hurlant, les sauvages. Leurs voix rauques[1]
s'entendent à travers la fusillade, déchiquetées par les détonations pressées, charriées par le vent avec les rafales de pluie.
285 Vent furieux, pluie forcenée ; il semble que la rage des combattants gagne le ciel.

Et tout à coup une lueur brutale jaillit, allumant des reflets
jaunes aux ornements de cuivre et aux pointes des casques,
des reflets pâles aux lames des baïonnettes : ils ont mis le
290 feu aux gerbes sur lesquelles le commandant et le capitaine
dormaient tout à l'heure. La flamme vive se tord, rase le sol,
bondit à chaque sursaut de la bourrasque ; et les gouttes de
pluie volant à travers l'incendie semblent des gouttes de fonte
ardente. Des éclairs giclent, déchirent le ciel entre les nuées,
295 strient[2] l'horizon de zébrures violâtres. Mes soldats ont des

---

1. **Rauques :** rudes et âpres.
2. **Strient :** rayent.

faces pâles ruisselantes d'eau. Leurs yeux, sous les sourcils froncés, se plombent d'un cerne lourd qui fait plus aigu leur regard fixe, où s'exprime intensément la volonté de frapper, de tuer, pour continuer à vivre.

300 « La première escouade[1], face à droite !... »

M'entendront-ils ?...

« Face à droite !... »

Ils n'entendront pas : les coups de fusil crépitent sans arrêt, le vent mugit, la pluie cingle en faisant sonner les gamelles et 305 les plats de campement. Mêlée aux grondements de l'orage, la clameur des voix humaines emplit le champ de bataille.

« Laisse-moi passer, toi. »

J'écrase l'homme contre le parapet[2].

« Laisse-moi passer. »

310 Je vais de tirailleur en tirailleur, appelant un sergent. Je dépasse un soldat, deux, trois ; et soudain, je n'ai plus personne devant moi : la tranchée est vide, abandonnée. Il reste au fond un peu de paille piétinée, un fusil, quelques sacs. J'ai juste le temps de voir une ombre qui se hisse en se crampon- 315 nant aux broussailles :

« Hé ! l'homme. Hé !... Le commandant ? Le capitaine ? »

Le vent me lance quelques mots au visage :

« Partis... Ordre ! »

En même temps, je vois deux silhouettes casquées surgir 320 au-dessus du parapet, tout à droite, deux silhouettes que la lueur vive de l'incendie fait plus noires, et perçois une chute lourde et molle sur la paille, au fond de la tranchée.

Les clameurs, à présent, montent en plein dans nos lignes. Il n'y a plus qu'une chose à faire : gagner les tranchées d'un

---

1. **Escouade :** fraction d'une section de fantassins.
2. **Parapet :** partie haute de la tranchée, talus.

325 bataillon de chasseurs¹, que je sais un peu derrière nous, sur la droite.

Je donne l'ordre, à pleine voix. Je crie :

« Passez à travers la haie ! Pas sur les côtés ! Sautez dans la haie ! »

330 Je pousse les hommes qui hésitent, instinctivement, devant l'enchevêtrement des branchettes hérissées de dures épines. Et je me lance, à mon tour, en plein buisson.

J'ai cru entendre, vers la gauche, des jurons, des cris étouffés. Il y a eu des entêtés, sûrement, qui ont eu peur des épines, 335 et qui ont maintenant des baïonnettes allemandes dans la poitrine ou dans le dos.

Je me suis mis à courir vers les chasseurs. Devant moi, autour de moi, des ombres rapides ; et toujours les mêmes cris : « *Hurrah ! Vorwärts !* »

340 Je suis entouré de Boches ; il est impossible que j'échappe, isolé ainsi de tous les nôtres. Pourtant, je serre dans ma main la crosse de mon revolver : nous verrons bien.

J'ai buté dans quelque chose de mou et de résistant qui m'a fait piquer du nez ; peu s'en est fallu que je ne me sois aplati 345 dans la boue. C'est un cadavre allemand. Le casque du mort a roulé près de lui. Et voici qu'une idée brusquement me traverse : je prends ce casque, le mets sur ma tête, en me passant la jugulaire sous le menton parce que la coiffure est trop petite pour moi et tomberait.

350 Course forcenée vers les lignes des chasseurs ; je dépasse vite les groupes de Boches, qui flottent encore, disloqués par notre fusillade de tout à l'heure. Et comme les Boches, je crie : « *Hurrah ! Vorwärts !* » Et comme eux, je marmotte²

---

1. **Chasseurs :** chasseurs à pied, fantassins en principe mieux équipés et mieux entraînés que les tirailleurs.
2. **Je marmotte :** je marmonne.

un mot à quoi ils doivent se reconnaître, en pleines ténèbres,
355 et qui est *Heiligtum*[1].

La pluie me cingle le visage ; la boue colle à mes semelles,
et je m'essouffle à tirer après moi mes chaussures énormes
et pesantes. Deux fois je suis tombé sur les genoux et sur les
mains, tout de suite relevé, tout de suite reprenant ma course
360 malgré mes jambes douloureuses et mollissantes. Chantantes
et allègres, les balles me dépassent et filent devant moi.

Un Français, sautillant et geignant :

« C'est toi, Léty ?

— Oui, mon lieutenant ; j'en ai une dans la cuisse.

365 — Aie bon courage ; nous arrivons ! »

Déjà il n'y a plus de braillards à voix rauque. Ils doivent se
reformer avant de repartir à l'assaut. Alors je jette mon casque,
et remets mon képi que j'ai gardé dans ma main gauche.

Pourtant, avant de rallier les chasseurs, j'ai rattrapé encore
370 trois fantassins allemands isolés. Et à chacun, courant derrière lui du même pas, j'ai tiré une balle de revolver dans la
tête ou dans le dos. Ils se sont effondrés avec le même cri
étranglé[2]. [...]

Vendredi, 11 septembre.
375 « Debout ! Sac au dos ! »

---

1. *Heiligtum :* sanctuaire, lieu saint en allemand.
2. Ç'a été la première occasion — la seconde et dernière aux Éparges, le
18 février au matin — où j'ai senti en tant que telles la présence et la
vie des hommes sur qui je tirais. Heureusement, ces occasions étaient
rares ; et, lorsqu'elles survenaient, elles n'admettaient guère qu'un réflexe
à défaut de retour sur soi-même : il s'agissait de tuer ou d'être tué.
Lors d'une réimpression de ce livre j'avais supprimé ce passage : c'est
une indication quant à ces « retours sur soi-même » qui devaient fata-
lement se produire. Je le rétablis aujourd'hui, tenant pour un manque
d'honnêteté l'omission volontaire d'un des épisodes de guerre qui m'ont
le plus profondément secoué et qui ont marqué ma mémoire d'une
empreinte jamais effacée. (Note de 1949.)

On part. Une dizaine de fusants[1] éclatent derrière nous, pas loin. Il y a autant d'eau qu'hier dans les champs, des flaques, des mares qui s'étalent, et de minuscules canaux parallèles au fond des sillons droits.

380 Encore des bois, un chemin perdu sous les feuilles denses, d'un vert avivé par la pluie. Des fossés comblés d'herbe drue, de ronces emmêlées qui poussent des rejets[2] jusqu'au milieu du chemin. Des trilles[3], des roulades[4], des pépiements[5] sortent des frondaisons. Parfois, un merle noir s'envole devant
385 nous, filant si bas qu'il pourrait toucher la terre de ses pattes, et soulevant les feuilles au vent de ses ailes. Au-dessus de nos têtes, une grande trouée bleue, limpide et profonde, attire le regard et le caresse. Douceur et paix.

Lorsque nous sortons des bois, tout est redevenu gris et
390 navrant. Nous pataugeons dans un pré marécageux où des canons et des caissons[6] s'alignent, encroûtés de boue jusqu'à la hauteur des moyeux[7] et mouchetés d'éclaboussures. Des entrailles de moutons, des peaux visqueuses s'affaissent dans les flaques en petits tas ronds. Des ossements épars, qui gar-
395 dent attachés des fragments de chair blanchâtre, délavée, donnent à cette plaine un aspect de charnier. Une route la traverse, luisante d'eau qui stagne, bordée d'arbres tristes, à perte de vue. Et sur cette platitude pèsent des nuages bas, aux formes lâches, de grandes traînées de pluie qui rampent
400 l'une vers l'autre, s'accouplent, se confondent, finissant par

---

1. **Fusants :** des « fusées fusantes » qui font éclater le projectile en l'air, avant de retomber.
2. **Rejets :** nouvelles tiges.
3. **Trilles :** chants (ici d'oiseaux) sur deux notes.
4. **Roulades :** successions de notes chantées rapidement.
5. **Pépiements :** petits cris de jeunes oiseaux.
6. **Caissons :** caisses montées sur roues pour le transport des munitions.
7. **Moyeux :** parties centrales de la roue que traverse l'axe autour duquel elle tourne.

voiler tout le bleu qui brillait à travers les feuilles et nous faire prisonniers d'un ciel uniformément terne, humide et froid.

Nous sommes auprès de Rosnes, un village au bord de la route. J'évoque les maisons qui ne furent peut-être pas bom-
405 bardées, les granges où il y a du foin, du foin moelleux, odo-rant et tiède, dans lequel il ferait si bon s'enfouir.

Mais nous laissons Rosnes derrière nous, gravissons lente-ment, en pleines terres, une pente raide, pour arriver sur un plateau que couvrent au loin de hautes herbes vivaces. Les
410 souffles de l'air passent sur elles en ondes rapides et frisson-nantes ; on croirait un étang dont le vent d'automne horri-pile[1] la surface frileuse.

Réunion des officiers autour du capitaine Renaud. C'est lui qui, à Gercourt, avait réparti dans les compagnies les
415 hommes de notre détachement. Le voici maintenant chef de corps, puisque le colonel est blessé, le chef du premier bataillon blessé aussi, ceux du deuxième et du troisième tués.

Le capitaine Renaud nous parle de sa voix sèche. Il nous félicite, nous dit qu'il compte sur nous tous : nous sommes
420 fatigués, mais il faut réagir, plastronner[2] devant les hommes, pour qu'ils ne faiblissent point si notre rude vie continue, pour qu'en voyant notre entrain et notre gaieté quand même ils n'éprouvent pas la tentation de se plaindre.

Mon capitaine devient mon chef de bataillon, Porchon,
425 officier d'active, mon commandant de compagnie. Je suis content, parce que chaque jour qui passait nous a rappro-chés l'un de l'autre. Je le sais aujourd'hui très franc, ambi-tieux sur toutes choses de se montrer juste avec indulgence, brave avec simplicité. Et puis, j'aime sa belle humeur, son rire
430 facile, son ardeur à vivre. Être gai, savoir l'être au plus âcre[3] des souffrances du corps, le rester lorsque la dévastation et

---

1. **Horripile :** agite et hérisse.
2. **Plastronner :** bomber le torse, avoir l'air confiant et décidé.
3. **Au plus âcre :** au plus douloureux.

la mort frappent durement auprès de vous, tenir bon à ces assauts constants que mènent contre le cœur tous les sens surexcités, c'est pour le chef un rude devoir, et sacré. Je ne
435 veux point fermer mes sens pour rendre ma tâche plus facile. Je veux répondre à toutes les sollicitations du monde prodigieux[1] où je me suis trouvé jeté, ne jamais esquiver les chocs quand ils devraient me démolir, et garder malgré tout, si je puis, cette belle humeur bienfaisante vers laquelle je m'ef-
440 force comme à la conquête d'une vertu. Porchon m'y aidera.

Nous allons ensemble déterminer l'emplacement des tranchées que la compagnie doit creuser. Les hommes se mettent au travail avec les grands outils de parc. Les pioches détachent de lourdes mottes de terre brune. La pluie tombe.
445 Mais la besogne est facile. Des chansons se répondent, des lazzi[2] se croisent : car on vient d'appeler les hommes de corvée[3] aux distributions.

Ils sont descendus vers Seigneulles, le village qui est tout près, dans le creux. De là-haut, nous apercevons les voitures
450 régimentaires qui s'appuient aux clôtures des jardins. Plus loin, émergeant du trou, révélant seule le groupe des maisons, la flèche du clocher.

Et voici que bientôt fument au bord du chemin les foyers des cuisines. Nous mangerons ce soir de la viande cuite, des
455 pommes de terre chaudes. Nous aurons de la paille pour dormir, un toit pour nous abriter de la pluie et du vent.

Qu'importe demain, puisque ce soir la vie est bonne ! [...]

---

1. **Prodigieux :** extraordinaire.
2. **Lazzi :** plaisanteries, moqueries.
3. **Hommes de corvée :** soldats préposés au ravitaillement.

Derrière l'armée du Kronprinz[1]

[...]

Samedi, 19 septembre [1914].

Quarante heures que nous sommes dans un fossé plein d'eau. Le toit de branches, tressé en hâte sur nos têtes et calfeutré de quelques brins de paille, a été transpercé en un instant par l'ondée furieuse. Depuis, c'est un ruissellement continu autour de nous et sur nous.

Immobiles, serrés les uns contre les autres en des attitudes tourmentées et raidies, nous grelottons sans rien nous dire. Nos vêtements glacent notre chair ; nos képis mouillés collent à nos crânes et serrent nos tempes d'une étreinte continue, douloureuse. Nous tenons à hauteur des chevilles nos jambes repliées contre nous ; mais il arrive souvent que nos doigts engourdis se dénouent et que nos pieds glissent au ruisseau fangeux qu'est le fond du fossé. Nos sacs ont roulé là-dedans et les pans de nos capotes[2] y traînent.

Le moindre geste fait mal ; si je voulais me lever, je ne pourrais pas. Tout à l'heure l'adjudant Roux a essayé : il a crié d'abord, tellement fut vive la souffrance de ses genoux et de ses reins ; et puis il est retombé sur nous, s'est laissé glisser au creux marqué dans la boue par son corps, et a repris la posture en boule dans laquelle l'ankylose l'avait raidi.

Tout ce qui s'est passé depuis deux jours m'apparaît pâle et voilé. C'est comme si j'avais vécu dans une atmosphère engourdie, dolente[3] et fade. Je me rappelle que nous sommes restés longtemps dissimulés dans un fourré. Ma section était auprès des chevaux du bataillon, qu'on avait attachés ensemble

---

1. **Kronprinz :** le prince impérial (l'héritier du trône).
2. **Capotes :** manteaux militaires.
3. **Dolente :** plaintive.

et qui cassaient des branches à chaque fois qu'ils bougeaient. Il devait pleuvoir déjà. Oui, certainement, il pleuvait : j'ai gardé dans les oreilles le bruit des feuilles frémissantes à la
30 chute des gouttes serrées. Et puis nous nous sommes mis en marche. Le soir inerte, insensiblement, prenait les bois et les champs. On voyait devant nous de minces colonnes d'infanteries, collées toutes noires au flanc d'une pente. Au-dessus d'elles, des shrapnells suspendaient leurs flocons. On ne les
35 entendait point siffler ; ils éclataient avec un bruit flasque dont l'étendue n'était point troublée. Une ferme abandonnée, à notre gauche, étalait ses toits rugueux, écrasés contre la terre. Un cavalier allait vers elle, la tête cachée dans le col de son manteau ; et le trot de son cheval glissait, étrange-
40 ment silencieux.

Nous avons passé une première nuit, en réserve, dans le fossé où nous sommes à présent. Nous étions cinq ou six en tas, penchés vers quelques pauvres morceaux de bois que nous avions essayé d'allumer et qui fumaient sans flamber.
45 J'étais d'une gaieté fiévreuse et bavarde ; j'éprouvais la réalité morne de mon épuisement, et je me débattais pour ne point y enfoncer d'un coup, à corps perdu. Cela a duré longtemps, tellement outré[1] que j'ai senti, parfois, une inquiétude chez ceux qui m'entouraient. Puis un moment est venu où mes
50 plaisanteries malades furent autant d'insultes à la détresse de tous. Alors je me suis tu, et je me suis livré avec une complaisance lâche à la tristesse qui avait attendu son heure.

La pluie tombait sur les feuilles avec le même frémissement monotone. Le bois du foyer avait une plainte sifflante
55 et douce. Je tenais mon regard obstinément attaché à la lueur mourante des braises, dont quelques-unes rougeoyaient encore sous les cendres.

Au matin, des coups de fusil ont claqué sur la ligne des avant-postes. Le capitaine m'y a envoyé avec deux sections

---

1. **Outré** : exagéré.

60 de renfort. Nous avons marché, à la file, dans un layon[1] mal
frayé, glissant sur l'argile molle, tombant tous les dix pas,
nous traînant à quatre pattes pour atteindre le haut d'un rai-
dillon que j'aurais pu, sans la boue, escalader en deux sauts.

En arrivant, il a fallu s'abriter derrière des troncs d'arbres,
65 parce que les balles criblaient la lisière. Il n'y avait point de
tranchées ; les hommes s'étaient allongés au fossé, dans l'eau,
et avaient mis leurs sacs devant eux.

La pluie ne cessait pas. Elle flottait sur les vastes labours[2]
où des noyers, de place en place, se serraient en groupes fris-
70 sonnants. Deux vedettes[3] allemandes, arrêtées en avant d'un
bois face à celui que nous tenions, semblaient deux statues de
pierre grise. Puis des sections rampantes sortirent du bois et
s'avancèrent en plaine, ternes comme le sol et visibles à peine.
Nous leur avons tué du monde et elles sont rentrées sous le
75 couvert, en laissant au ciel libre de petites masses inertes.

Mais les balles ont continué à siffler. Parfois, un cri montait du fossé et un homme accourait vers nous, serrant sa
poitrine à deux mains, ou regardant, avec de grands yeux
effarés, le sang couler au bout de ses doigts. Enfin, le calme.

80 Nous sommes retournés à la réserve, emmenant un de
mes caporaux qu'une balle avait atteint dans l'aine et traversé de part en part. Ce fut un dur trajet, par le chemin de
boue. Le blessé geignait faiblement, les bras passés aux cous
de deux camarades, la tête ballante, la face livide. Les por-
85 teurs glissaient, tombaient sur les genoux. Alors une plainte
tremblante jaillissait, que j'entendais longtemps encore après
qu'elle s'était tue.

Et ce fut une nuit pareille à la première, l'attente silencieuse
et grelottante, les minutes longues comme des heures, l'ap-
90 pel au jour qui n'arrivait point. Je me suis assoupi peu à peu

---

1. **Layon :** sentier forestier.
2. **Labours :** champs labourés.
3. **Vedettes :** sentinelles.

et mon corps a pesé, à l'abandon, sur un camarade. Il m'a secoué brutalement avec des paroles de colère : nous devenions méchants. Un peu plus tard, j'ai sursauté à une douleur vive ; j'avais roulé jusqu'au foyer presque éteint, et des
95 tisons encore ardents venaient de me brûler la main. La pluie continuait à tomber.

À présent, il fait jour. Nous venons de manger des morceaux de viande froide, mouillée, affadie, aussi quelques pommes de terre vertes trouvées dans un champ et qui ont cuit un
100 peu sous les cendres. On nous a annoncé la relève pour ce soir. Moi je ne l'espère plus. Je ne sais plus. Nous sommes là depuis un très long, très long temps. On nous a mis là ; on nous y a oubliés. Personne ne viendra. Personne ne pourra nous remplacer à la lisière de ce bois, dans ce fossé, sous
105 cette pluie. Nous ne verrons plus de maisons avec les claires flambées dans l'âtre, plus de granges bien closes où le foin s'entasse et ne mouille jamais. Nous ne nous déshabillerons plus pour délasser nos corps et les délivrer de cette étreinte glacée. Et d'ailleurs, à quoi bon ? Mes vêtements englués de
110 boue, les bandes molletières[1] qui broient mes jambes, mes chaussures brûlées et raidies, les courroies de mon équipement, est-ce que tout cela maintenant ne fait pas partie de ma souffrance ? Cela colle à moi. L'eau, qui a pénétré jusqu'à ma peau d'abord, coule maintenant dans mes veines. Maintenant
115 je suis une masse boueuse, et prise par l'eau, et qui a froid jusqu'au plus profond d'elle, froid comme la paille qui nous abritait et dont les brins s'agglutinent et pourrissent, froid comme les bois dont chaque feuille ruisselle et tremble, froid comme la terre des champs qui peu à peu se délaye et fond.
120 Hier, peut-être, il était temps encore. En partant hier, nous aurions pu nous défendre, nous ressaisir, réparer. Aujourd'hui,

---

1. **Bandes molletières :** bandes de drap de laine dont les soldats s'entouraient les mollets.

le mal a trop gagné. On ne peut pas réparer tout ce mal. Il est trop tard. Ça ne vaut même plus la peine d'espérer... [...]

Dans les bois

[...]

Jeudi, 24 septembre [1914].
[...] Ligne de sections par quatre[1], sous bois, gravissant la pente. Je réagis mal contre l'inquiétude que m'inspire la nervosité des soldats. J'ai confiance en eux, en moi ; mais je
5   redoute, malgré que j'en aie[2], quelque chose d'impossible à prévoir, l'affolement, la panique, est-ce que je sais ? Comme nous montons lentement ! Mes artères battent, ma tête s'échauffe. Ah !...
Violente, claquante, frénétique, la fusillade a jailli vers nous
10   comme nous arrivions au sommet. Les hommes, d'un seul mouvement impulsif[3], se sont jetés à terre.
« Debout, nom d'un chien ! Regnard, Lauche[4], tous les gradés, vous n'avez pas honte ? Faites-les lever ! »
Nous ne sommes pas encore au feu meurtrier. Quelques
15   balles seulement viennent nous chercher, et coupent des branches au-dessus de nous. Je dis, très haut :
« C'est bien compris ? Je veux que les gradés tiennent la main à[5] ce que personne ne perde la ligne. Nous allons peut-être entrer au taillis[6], où l'on s'égare facilement. Il faut avoir
20   l'œil partout. »

---

1. **Ligne de sections par quatre :** voir note 4, p. 22.
2. **Malgré que j'en aie :** malgré mes réticences, mes hésitations.
3. **Impulsif :** rapide et instinctif.
4. **Regnard, Lauche :** deux sergents de section.
5. **Tiennent la main à :** veillent à.
6. **Taillis :** bois dont les arbres ne sont pas élevés.

Là-bas, dans le layon que nous suivons, deux hommes ont surgi. Ils viennent vers nous, très vite, à une allure de fuite. Et petit à petit, je discerne leur face ensanglantée, que nul pansement ne cache et qu'ils vont montrer aux miens. Ils appro-
25 chent ; les voici ; et le premier crie vers nous :

« Rangez-vous ! Y en a d'autres qui viennent derrière ! »

Il n'a plus de nez. À la place, un trou qui saigne, qui saigne...

Avec lui, un autre dont la mâchoire inférieure vient de sauter. Est-il possible qu'une seule balle ait fait cela ? La moitié
30 inférieure du visage n'est plus qu'un morceau de chair rouge, molle, pendante, d'où le sang mêlé à la salive coule en filet visqueux. Et ce visage a deux yeux bleus d'enfant, qui arrêtent sur moi un lourd, un intolérable regard de détresse et de stupeur muette. Cela me bouleverse, pitié aux larmes,
35 tristesse, puis colère démesurée contre ceux qui nous font la guerre, ceux par qui tout ce sang coule, ceux qui massacrent et mutilent.

« Rangez-vous ! Rangez-vous ! »

Livide, titubant, celui-ci tient à deux mains ses intestins, qui
40 glissent de son ventre crevé et ballonnent la chemise rouge. Cet autre serre désespérément son bras, d'où le sang gicle à flots réguliers. Cet autre, qui courait, s'arrête, s'agenouille dos à l'ennemi, face à nous, et le pantalon grand ouvert, sans hâte, retire de ses testicules la balle qui l'a frappé, puis, de ses
45 doigts gluants, la met dans son porte-monnaie.

Et il en arrive toujours, avec les mêmes yeux agrandis, la même démarche zigzagante et rapide, tous haletants, demi-fous, hallucinés[1] par la crête qu'ils veulent dépasser vite, plus vite, pour sortir enfin de ce ravin où la mort siffle à travers
50 les feuilles, pour s'affaler au calme, là-bas où l'on est pansé, où l'on est soigné, et, peut-être, sauvé.

---

1. **Hallucinés :** hantés, obsédés.

« Tu occuperas avec ta section le fossé qui longe la tranchée de Calonne[1], me dit Porchon. Surveille notre gauche,
la route, et le layon au-delà. C'est toi qui couvres le bataillon
55 de ce côté. »

Je place mes hommes au milieu d'un vacarme effroyable. Il
me faut crier à tue-tête pour que les sergents et les caporaux
entendent les instructions que je leur donne. Derrière nous,
une mitrailleuse française crache furieusement et balaye la
60 route d'une trombe[2] de balles. Nous sommes presque dans
l'axe du tir, et les détonations se précipitent, si violentes et
si drues qu'on n'entend plus qu'un fracas rageur, ahurissant,
quelque chose comme un craquement formidable qui ne fini-
rait point. Parfois, la pièce fauche[3], oblique un peu vers nous,
65 et l'essaim mortel fouaille l'air, le déchiquette, nous en jette
au visage des lambeaux tièdes.

En même temps, des balles allemandes filent à travers les
feuilles, plus sournoises[4] du mystère des taillis ; elles frappent sec dans les troncs des arbres, elles fracassent les grosses
70 branches, hachent les petites, qui tombent sur nous, légères
et lentes ; elles volent au-dessus de la route, au-devant des
balles de la mitrailleuse, qu'elles semblent chercher, défier de
leur voix mauvaise. On croirait un duel étrange, innombrable
et sans merci, le duel de toutes ces petites choses dures et
75 sifflantes qui passent, passent, claquent, tapent et ricochent
avec des miaulements coléreux, là, devant nous, sur la route
dont les cailloux éclatent, pulvérisés.

« Couchez-vous au fond du fossé ! Ne vous levez pas, bon
Dieu ! »

---

1. **Tranchée de Calonne :** route forestière de vingt-cinq kilomètres reliant
   Hattonchâtel à Verdun.
2. **Trombe :** déluge, rafale.
3. **La pièce fauche :** le tir de la mitrailleuse effectue un va-et-vient hori-
   zontal de manière à balayer toute une zone.
4. **Sournoises :** qui dissimulent, fausses.

80   [...] « Cessez le feu ! »

J'avance de quelques pas, debout, sans précaution. Je parie que ces cochons-là se coulent[1] dans les fourrés, et qu'ils vont nous tomber dessus à vingt mètres. Je les sens cachés, nombreux et invisibles. Hé ! Hé ! invisibles... Pas tant que ça ! Je te vois, toi, rat vert[2], derrière ce gros arbre, et toi aussi, à gauche ; ton uniforme est plus terne que les feuilles. Attendez, mes gaillards, nous allons vous servir quelque chose ! Un signe du bras à Morand[3] , que j'ai prévenu. Il accourt. Je lui montre le point repéré :

90   « Regarde là-bas, derrière ce gr... Ha !... Touché ! »

La voix de Morand bourdonne :

« Lieutenant... blessé... mon lieutenant...

— Hein ? Quoi ?... Oui... »

Un projectile énorme m'est entré dans le ventre, en même temps qu'un trait jaune, brillant, rapide, filait devant mes yeux. Je suis tombé à genoux, plié en deux, les mains à l'estomac. Oh ! ça fait mal... Je ne peux plus respirer... Au ventre, c'est grave... Ma section, qu'est-ce qu'elle va faire ?... Au ventre. Mon Dieu, que je puisse revoir, au moins, tous ceux que je voulais revoir !... Ah ! l'air passe[4], maintenant. Ça va mieux. Où est-ce que ça a frappé ?

Je cours vers un arbre, pour m'asseoir, m'appuyer contre lui. Des hommes se précipitent, que je reconnais tous. L'un d'eux, Delval, veut me prendre sous les bras pour me soutenir. Mais je marche très bien tout seul ; mes jambes ne mollissent même pas ; je m'assieds sans peine. Je dis :

« Non, personne. Retournez sur la ligne ; je n'ai besoin de personne. »

---

1. **Se coulent :** se glissent.
2. **Rat vert :** l'Allemand, dont l'uniforme tire sur le vert, qui se cache comme un « rat ».
3. **Morand :** un caporal de la section.
4. **L'air passe :** je respire de nouveau.

Alors, ça n'est rien ? Quelle histoire ! C'est là, en plein
110   ventre, un trou, si petit ! L'étoffe est lacérée sur les bords. Je
fourre un doigt là-dedans ; je le retire : il y a un peu de sang,
presque pas. Pourquoi pas plus ?

Tiens, mon ceinturon est coupé. Et le bouton qui devrait
être là, où est-il passé ? Ma culotte est percée aussi. Ah ! voici
115   où la balle a touché : une meurtrissure rouge foncé, la peau
déchirée en surface, une goutte de sang qui perle... C'est ça,
ta blessure mortelle ?

Je regarde mon ventre d'un air stupide ; mon doigt va et
vient machinalement dans le trou de ma capote... Et soudain
120   la clarté surgit, tout mon abrutissement dissipé d'un seul
coup. Comment n'ai-je pas compris plus tôt ?

Cette chose jaune et brillante que j'ai vue filer devant mes
yeux, mais c'était le bouton disparu que la balle a fait sauter !
Et si le bouton a jailli au lieu de m'entrer dans le corps avec la
125   balle, c'est que mon ceinturon était dessous ! Sûrement c'est
cela : le vernis du cuir s'est craquelé, en demi-cercles concen-
triques, à la place où le bouton appuyait.

Hein ? Si la balle n'avait pas tapé là, juste dans ce petit bouton ? Et si ton ceinturon n'avait pas été là, juste sous ce petit
130   bouton ? Eh bien ! mon ami !

En attendant, mon ami, tu joues un personnage grotesque[1] :
un officier blessé qui n'est pas blessé, et qui contemple son
ventre derrière un arbre, pendant que sa section... Hop ! à
ta place !
135   C'est étonnant comme les Boches bougent peu ! Fatigués
d'avancer ? Il a dû en dégringoler des masses pendant qu'ils
montaient vers la crête. Pas fatigués de tirer, par exemple !
Quelle grêle ! Et nos lebels[2] aussi toussent plus fort que jamais.

---

1. **Grotesque :** ridicule.
2. **Lebels :** voir note 5, p. 21.

À peine si l'on entend le crépitement des mausers[1] et les sif-
140 flements de leurs balles.

Qui est-ce, là, qui se promène ? C'est le capitaine Rive,
avec son éternel « pic » de Gibercy[2], paisible, les yeux partout, rassérénant. Il s'écrie en me voyant accourir :

« Comment ! Vous ? On vient de me dire que vous aviez
145 reçu une balle dans le ventre !

— C'est vrai, mon capitaine ! Mais ça n'était rien pour cette
fois ! Une veine ! »

Et je tombe au milieu de mes poilus[3], je prends leur tête :
« Allons-y, les enfants ! Ça n'est pas encore ceux-là qui nous
150 auront ! Aux tas de fagots, là-bas ! »

Il y a des nôtres, un peu plus loin sur la droite, une longue
ligne de tirailleurs, irrégulière mais continue. Les hommes
ont profité merveilleusement de tous les abris : ils tirent à
genoux, derrière les arbres, derrière les piles de fagots ; ils
155 tirent couchés, derrière des buttes minuscules, au fond de
trous creusés en grattant avec leurs pelles-pioches. Voilà de
l'utilisation du terrain ! Voilà des hommes qui savent se battre !

Derrière eux, à quelques mètres, des officiers dirigent le
tir et observent. Il y en a un qui circule, debout, de tirailleur
160 en tirailleur, le nez à l'air et la pipe aux dents. Ah ! celui-là !...
Et j'ai une émotion très douce à reconnaître le nez, la pipe et
la barbe de Porchon. […]

---

1. **Mausers :** fusils allemands (du nom de leur inventeur).
2. **Pic de Gibercy :** ce « pic » est en fait une lance de uhlan prise lors d'un
   accrochage près du village de Gibercy.
3. **Poilus :** soldats (« poilu » étant le nom donné à tous les combattants de
   1914-1918).

Les armées se terrent

Vendredi, 25 septembre [1914].

[...]

À l'approche du soir, les hommes se dispersent par les champs, en quête de paille pour avoir chaud cette nuit. Ils partent à pas légers, dévalant vers les bois par les chaumes[1]
5 semés de javelles[2]. Ils reviennent à pas lourds, pliant sous le faix[3] des gerbes énormes dont les épis, derrière eux, traînent à terre comme une chevelure. On entend, lorsqu'ils passent, un froissement doux qui les suit.

Mais, à la nuit noire, des appels retentissent sur le bivouac[4]
10 endormi ; des ordres brefs nous mettent sur pied, et les sections se groupent, paresseusement, dans la torpeur du premier sommeil : tout le bataillon descend vers Mouilly[5], où nous allons cantonner[6].

Quelle heure est-il ? Dix heures déjà. Et nous devons avoir
15 repris nos emplacements avant l'aube ! Mais nous allons entrer dans une maison, allumer du feu dans l'âtre[7], nous étendre, peut-être, sur un matelas, nous pelotonner sous un édredon de plume. Peut-être aussi pourrons-nous retirer nos souliers ; et mes souliers, mes étroits souliers que je n'ai pu encore
20 remplacer, me font si mal ! Avoir chaud, coucher déséquipé,

---

1. **Chaumes :** champs de céréales moissonnés, où restent les tiges coupées.
2. **Javelles :** brassées de céréales.
3. **Faix :** poids.
4. **Bivouac :** campement.
5. **Mouilly :** nom d'un village de la Meuse.
6. **Cantonner :** séjourner.
7. **Âtre :** cheminée.

les orteils libres dans les chaussettes ! Cela ne durera guère, mais nous nous dépêcherons de dormir.

Nous voici au village. Une rumeur l'emplit, un fourmillement l'anime : voitures à vivres, fourgons qu'assiègent des
25 ombres, dans ce clair-obscur étrange et vigoureux que créent les lanternes dansantes[1].

Le fourrier[2] nous appelle, nous guide au long d'un couloir enténébré :

« À gauche, tournez à gauche ! Je tiens la porte. »
30 Il frotte une allumette, enflamme la mèche d'un morceau de bougie, et dit, élevant son lumignon[3] :

« Voilà ! Vous êtes chez vous. »

Notre chez-nous de ce soir ! Ce qui fut un foyer ! À présent un taudis sans âme où campent des nomades malpropres, le
35 temps seulement de réchauffer leur corps, et qui s'en vont, indifférents, sans que rien de leur cœur soit resté entre ces vieux murs.

Bientôt l'invasion s'étale dans notre demeure. Les hommes de corvée[4] ont porté là les vivres qu'on va distribuer aux sec-
40 tions. Par terre, sur une toile de tente, le café, le sucre, le riz font de petits tas réguliers. Fillot, le caporal d'ordinaire[5], sans capote, sans veste, sa chemise crasseuse entrouverte sur une poitrine blanche et musclée, appelle les sections l'une après l'autre. Aux hommes qui s'avancent, il désigne un des tas,
45 d'un imperceptible mouvement de l'index. Les réclamations ne l'émeuvent plus.

« Ça d' sucre ! Ben y a pas gras[6] ! L' tas d' la troisième est presque l' doub'e.

---

1. **Dansantes :** agitées.
2. **Fourrier :** voir note 2, p. 29.
3. **Lumignon :** bougie.
4. **Hommes de corvée :** voir note 3, p. 41.
5. **Caporal d'ordinaire :** caporal chargé de la cuisine.
6. **Y a pas gras :** il n'y en a pas beaucoup (familièrement).

— Cinq hommes de plus à la troisième, répond le caporal.
50 Si t'es pas content, va t' plaindre au ministre. L' compte y est. »
Et pendant ce temps, Martin, le mineur du Nord, découpe
un quartier de bœuf qu'on a posé sur une table. Il ne dispose
pour cette besogne que de son couteau de poche, un couteau
à cran d'arrêt, de lame solide, qu'il a depuis la Vauxmarie[1].
55 Martin proclame qu'il lui a été donné par un prisonnier bon
zigue[2], que c'est une fameuse marchandise, et qu'il n'est pas
un couteau à la compagnie « pour débiter une pièce de bœuf »
comme fait ce couteau boche manié par lui, Martin. [...]

« Sacrée viandasse ! »
60 Dans la cheminée, des sarments[3] craquent et crépitent ; la
flamme monte, lèche la plaque du contrecœur[4]. Les hommes
de corvée sont partis, il ne reste plus avec nous que les agents
de liaison et les ordonnances[5]. Pannechon surveille le plat et
la marmite, retourne à la pointe du couteau les morceaux de
65 viande qui fument et grésillent. Presle essuie la table ensanglantée à coups de torchon circulaires. Les autres, assis par
terre, dos au mur et genoux au menton, fument leur brûle-
gueule[6] en crachant.
Soupe au riz, grillades, riz au gras[7], jus bouillant : le seul
70 dîner valait le voyage à Mouilly. Et nous avons un lit ! Avec
le matelas et l'édredon ! Nous entrons dans cette tiédeur. Par
terre, nos quatre souliers[8] vides bâillent de la tige[9] avec des

---

1. **La Vauxmarie :** village au nord-ouest de Verdun.
2. **Bon zigue :** brave type (en argot).
3. **Sarments :** rameaux de vigne.
4. **Du contrecœur :** du fond de la cheminée.
5. **Ordonnances :** soldats remplissant auprès des officiers les fonctions
   d'aide de camp.
6. **Brûle-gueule :** pipe à tuyau très court.
7. **Riz au gras :** riz cuit avec le gras de la viande de bœuf.
8. **Nos quatre souliers :** les hommes dorment à deux dans un même lit.
9. **Tige :** partie supérieure de la chaussure.

allures avachies. Enfouie dans un monceau de paille amenée de la grange à brassées, « la liaison[1] » s'est endormie et nous berce de ses ronflements confondus. Et nous nous endormons à notre tour, repus, le corps à l'aise, les pieds dégainés, dans une puissante odeur de graillon[2], de tabac et de bête humaine.

Samedi, 26 septembre.
Sous les grands arbres, en arrière du plateau. Une autre compagnie du bataillon nous remplace aux abords de la route. Matinée fraîche et limpide où sonnent des éclats de voix, des rires. Les cuistots[3] se sont installés près de nous, à la lisière ; ils préparent la soupe du matin. Autour de chaque foyer, des hommes assis, attentifs et graves, tendent à la flamme des tranches de boule[4] qu'ils ont piquées au bout d'une branchette.

Les rôties[5] ! Friandise et délectation[6] du soldat en campagne ! Dorées, rousses, brunissantes, elles croustillent sous les dents ; elles s'effritent, légères ; elles s'engloutissent comme d'elles-mêmes. Dès qu'un feu brille quelque part, les amateurs affluent, s'asseyent en rond, et regardent avec le même sérieux touchant, du bout de leur couteau ou d'une badine pointue, le pain blanchâtre prendre peu à peu une belle couleur chaude, comme s'il reflétait la flamme et gardait en lui quelque chose de son rayonnement. Les uns taillent des tranches minces, pour que la rôtie tout entière s'émiette et croque aux coups de dents ; les autres des tranches épaisses, pour qu'entre deux pellicules sèches, pareilles à la carapace d'un beignet, subsiste une mie onctueuse et brûlante, un peu humide encore, telle qu'en ont les pains fumants que le boulanger retire de son four.

---

1. **Liaison :** agent de liaison (voir note 9, p. 21).
2. **Graillon :** graisse brûlée.
3. **Cuistots :** cuisiniers (en argot).
4. **Boule :** boule de pain.
5. **Rôties :** tranches de pain grillées.
6. **Délectation :** délice.

Le jus avalé, nous nous sommes assis, Porchon et moi, au pied d'un platane énorme, le dos contre le fût lisse, les fesses entre deux racines moussues. Nous avons coupé une grosse branche de merisier[1], et nous essayons de fabriquer une pipe.
105 « Nécessité mère d'industrie[2] », voire de l'industrie des pipes. Encore y faut-il quelque habileté.

Bernardet, le cuistot, a réussi un chef-d'œuvre : tuyau percé droit et tirant bien, fourneau profond à paroi lisse. Même, il a sculpté dans le bois une face camarde, avec d'énormes
110 yeux à fleur de tête, et une barbe effilée, agressive, lancée en avant comme une proue.

Porchon, à force d'application volontaire (il est écarlate et ses veines saillent sur son front), obtient des résultats non décisifs, mais encourageants : son morceau de bois s'évide,
115 se creuse, prend décidément figure de pipe.

Moi, j'ai déjà fait éclater deux ébauches[3], en me donnant lâchement pour excuse que le bois de merisier est dur et que mon couteau ne coupe pas.

Non lassé malgré mes échecs, je commence une nouvelle
120 tentative, lorsqu'un sifflement accourt vers nous, brisé net par le fracas de trois marmites explosant à la fois : trop court ! D'autres sifflent, passent sur nous et trois panaches de fumée noire surgissent du sol éventré, cent mètres derrière, hors du bois : trop long ! Encore la stridence[4] d'une rafale. C'est
125 moins brutal : elles vont loin. Nous les voyons éclater sur la droite, déracinant quelques petits sapins qui sautent en l'air avec les mottes de terre et les éclats. En avant ; en arrière ; à droite. C'est fatidique[5]. Nous nous levons, mettons sac au dos, et marchons vers la gauche, sans hâte, à travers les taillis.

---

1. **Merisier :** cerisier sauvage.
2. **Industrie :** ingéniosité, savoir-faire.
3. **Ébauches :** les pipes au premier stade de leur fabrication.
4. **Stridence :** sifflement perçant.
5. **Fatidique :** inévitable.

130 Nous sommes maintenant hors de la « fourchette[1] », tranquilles, presque amusés. On dirait que les artilleurs boches
s'efforcent de faire tomber leurs derniers obus dans les entonnoirs qu'ont creusés les premiers. Ils doivent tirer sans but,
pour consommer une quantité de munitions réglementaire :
135 il suffit d'attendre qu'ils aient fini. […]

Lundi, 28 septembre.
Et ce matin, avant l'aube, tout le bataillon a été relevé[2].
Nous nous sommes retirés jusqu'à la dernière ligne, à un
kilomètre en arrière.
140 Si près des Boches encore, ce ne peut être le vrai repos ; en
cas d'attaque nous subirions le premier choc avec les camarades des avant-postes. Demi-repos pourtant, et tel quel très
appréciable. Cachés en pleine forêt, nous sommes invisibles
même aux avions ; liberté d'aller et de venir, de flâner hors
145 de la tranchée ; nous n'y redescendrons qu'en cas d'alerte.
Sifflotant, les mains dans mes poches, je vais jusqu'au
carrefour voisin. Le capitaine Rive est là, fumant les sempi-
ternelles cigarettes qu'il roule en des feuilles invraisembla-
blement longues. Il me montre un Allemand mort allongé
150 sur l'herbe du bas-côté. On a recouvert son visage d'un mou-
choir, et plié près de lui sa capote. Sa tunique déboutonnée
s'entrouvre sur une chemise sanglante. Ses mains très blanches s'abandonnent, souples encore et presque vivantes ;
elles viennent de se dénouer après les crispations dernières
155 de l'agonie, ce ne sont pas les mains rigides de ceux que la
vie a quittés depuis des heures.
« Il vient de mourir ? dis-je au capitaine.
— Il y a cinq minutes, répond-il. On l'a trouvé dans les
bois, on le portait ici au moment où nous arrivions. Il était

---

1. **Hors de la fourchette :** en dehors de la zone délimitée par les tirs trop
   courts et les tirs trop longs de l'ennemi.
2. **Relevé :** remplacé par un autre bataillon.

160 tombé depuis trois jours, dans un assaut. Trois jours et trois
nuits entre les lignes ! Il mourait de froid et d'inanition[1] bien
plus que de ses blessures, lorsqu'une de nos patrouilles l'a
recueilli au petit jour. Un grand beau gaillard, n'est-ce pas ? »

Oui, et de mise[2] soignée. Le drap de l'uniforme est
165 moins grossier[3] que le drap de troupe. La culotte est ajus-
tée aux genoux, les bottes de cuir fauve dessinent les jambes
vigoureuses.

« Un officier ? dis-je.

— Lieutenant de réserve, probablement commandant de
170 compagnie. Mais je n'ai eu ni le temps, ni le désir de l'interroger. Il avait demandé, en français, un officier parlant l'allemand. On est venu me chercher. Quand je suis arrivé, il était
étendu au revers[4] du fossé, les yeux virant, les lèvres bleues,
moribond[5] déjà mais entièrement lucide. Il m'a confié des
175 papiers personnels, des lettres, et m'a prié de les faire parvenir aux siens en les prévenant de sa mort, par l'intermédiaire
de la Croix-Rouge. Il m'a dicté leur adresse, m'a remercié ;
et puis il a laissé aller sa tête et il est mort, sans un soupir :
un homme. »

180 Je regagne ma tranchée, perdu dans une songerie triste. La
forêt, en sa dernière et splendide luxuriance[6], a cessé d'exis-
ter à mes yeux. Voici la tranchée, un étroit fossé aux parois
de terre verticales. Des dormeurs sont vautrés au fond... On
creuse, chez nous. On creuse aussi là-bas, dans le camp des
185 reîtres[7] casqués, plus encore et mieux que chez nous.

Je les ai vus travailler, ces remueurs de terre. Au bord du
vallon de Cuisy, j'ai observé pendant des heures, à la jumelle,

---

1. **Inanition :** épuisement, faiblesse (par manque de nourriture).
2. **Mise :** tenue vestimentaire.
3. **Grossier :** ordinaire.
4. **Revers :** côté opposé du parapet du talus.
5. **Moribond :** sur le point de mourir.
6. **Luxuriance :** abondance de végétation.
7. **Reîtres :** guerriers brutaux.

des équipes de terrassiers maniant le pic et la pelle avec un
entrain qui ne mollissait jamais. Dès qu'ils peuvent s'arrêter,
190 les Boches font des trous et se fourrent dedans. S'ils avancent,
ils se retranchent[1] pour assurer le gain acquis. S'ils reculent,
ils se retranchent pour tenir mieux aux poussées des assauts.

Et je vois, face à nos lignes, ces retranchements peu à peu
s'étirer, escalader les collines, plonger au fond des vallées, ram-
195 per à travers les plaines, fossés profonds avec leurs parapets
s'étalant au ras du sol, avec leurs fils de fer ronces tressant
des réseaux barbelés en avant des mitrailleuses embusquées
à leur créneau.

Nous les avons arrêtés, puis refoulés. À présent, les deux
200 armées reprennent haleine. Pantelants[2] de leur récente défaite,
trop las désormais pour foncer à pleine force et tenter à nouveau de nous passer sur le corps, ils vont s'accrocher au sol
de France qu'ils occupent encore.

Ingénieusement, méthodiquement, ils vont accumuler sous
205 nos pas les obstacles. Ils ne laisseront rien au hasard : chaque
mètre du front qu'ils tiennent pointera, braqué vers nous, un
canon de fusil ; des mitrailleuses dans chaque blockhaus[3],
des canons derrière chaque crête. Il n'y aura pas de vide, pas
de point faible. Des Flandres à l'Alsace, de la mer du Nord à
210 l'inviolable frontière suisse[4], un fort immense va naître, qu'il
nous faudra démolir si nous voulons passer.

Quand passerons-nous ? Voici octobre, et bientôt les
brouillards, les pluies. Si nous voulons durer, il faudra que
nous creusions, nous aussi, que nous apprenions à nous
215 abriter sous des toits de branches serrées, de mottes grasses
imbriquées comme des tuiles sur quoi l'eau glisse sans s'in-

---

1. **Ils se retranchent :** ils se protègent (en creusant des tranchées ou en
   édifiant des défenses).
2. **Pantelants :** déconcertés et haletants (suite à leur récente défaite).
3. **Blockhaus :** abri protégeant des attaques.
4. **L'inviolable frontière suisse :** inviolable parce que la Suisse, neutre, ne
   prend pas part au conflit.

filtrer. Il faudra que nous sachions attendre sans lassitude, au long des journées grises, au long des nuits de veille qui ne finissent jamais.

220   Cela surtout sera dur. Lorsqu'on a faim, on serre sa ceinture d'un cran, on écrit des lettres, on rêve. Lorsqu'on a froid, on allume une flambée, on bat la semelle, on souffle sur ses doigts. Mais lorsque le cœur s'engloutit peu à peu en des marécages de tristesse, lorsque la souffrance ne vient pas des
225   choses, mais de nous, lorsqu'elle est nous-même tout entier, quel recours ? À quoi se cramponner pour échapper à cet enlisement ? On voit, lorsque l'hiver commence, des fins de jours si lugubres !...

Deux obus qui éclatent volatilisent ma songerie. Un homme
230   me tombe sur le dos, en criant : « Merde ! » C'est le présent qui m'empoigne, sans phrases. Vers le carrefour, des chevaux hennissent avec épouvante, des conducteurs jurent et font claquer leur fouet. Puis deux voitures grises apparaissent, virent sur deux roues en rasant le fossé, les hommes
235   cinglant à tour de bras leurs bêtes, et s'enfoncent dans le bois avec un roulement de ferraille qu'accompagne le martèlement sonore des sabots sur la route. Ce sont nos vivres qui se sauvent au galop.

« Tout le monde dans la tranchée ! »
240   On ne les entend pas venir, ces fusants[1]. Je regardais un de mes poilus qui bourrait sa pipe lorsque deux autres ont explosé sur nous : le sifflement, la grimace de l'homme et le plongeon qu'il a fait, la grêle des balles dans les branches, tout s'est confondu en une seule impression d'attaque impré-
245   visible et méchante. C'est trop rapide, le réflexe qu'on a pour se protéger se déclenche trop tard. L'obus qui a sifflé de loin n'atteint pas. Mais celui qui tombe sans dire gare, celui-là est dangereux et effraye ; les mains restent fébriles longtemps encore après l'explosion.

---

1. **Fusants :** voir note 1, p. 39.

250   Ah çà ! En aurions-nous pour la journée ? Toutes les dix minutes à peu près, deux fusants nous arrosent. Un peu plus tard, c'est un couple de percutants[1] qui piquent du nez en faisant jaillir la terre. Toujours du 77[2]. Du tir direct, comme au fusil, insupportable. Il faut qu'on nous bombarde de bien près
255   pour que les obus arrivent à une vitesse pareille : je parierais qu'elles sont dans Saint-Rémy, ces deux sales petites pièces[3] jumelles ! On les repérerait, de nos avant-postes, au premier tir. Puis, grâce à une liaison convenablement articulée, on les démolirait ou on les musellerait, en moins d'une demi-
260   heure. Mais... je sais bien qu'elles vont aboyer jusqu'à ce que les artilleurs boches soient fatigués. Nous allons garder dans la peau cette écharde, rester jusqu'au soir les genoux au menton sans pouvoir muser[4] sous les arbres.

Nous sommes abrutis lorsque la nuit arrive ; le dos rompu,
265   les jambes raides. Des pierres pointues font saillie partout. L'étui de mon revolver m'entre dans les côtes, mon bidon dans la hanche, un genou de Porchon dans l'estomac. Quelle posture prendre ? Quel creux trouver ? Sortir de la tranchée pour s'étendre sur les feuilles mortes ? Le froid pénètre jusqu'aux
270   moelles et vous tient éveillé.

Une à une, j'arrache de leur gangue[5] quelques pierres revêches à l'excès[6]. Je les lance, au jugé, par-dessus le parapet, allonge les bras par-dessus mon équipement que j'ai tassé dans mon giron[7], et m'endors, serrant mon « barda[8] »
275   sur mon cœur.

---

1. **Percutants :** obus percutants, qui explosent en heurtant le sol.
2. **Du 77 :** des obus d'un calibre de 77 mm.
3. **Pièces :** pièces d'artillerie.
4. **Muser :** musarder, flâner.
5. **De leur gangue :** de la terre qui les enveloppe.
6. **Revêches à l'excès :** trop dures et trop rudes.
7. **Dans mon giron :** contre moi, entre mon ventre et mes genoux.
8. **Barda :** équipement personnel (en argot).

Mardi, 29 septembre

[...] Nous dînons chez une vieille Alsacienne, toute petite, rose et ratatinée, coiffée d'un bonnet rond très blanc, si blanc que jamais encore, dans la Meuse, je n'en ai vu d'aussi gaie-
280 ment joli. Un carrelage de briques lavé de frais, net et rouge comme la peau d'un visage après des ablutions[1] d'eau froide ; des meubles qui luisent, comme luit sur notre table la toile cirée brune.

Le dîner achevé, dans un coin, j'essaie une ribambelle de
285 godillots que le cycliste[2] a « levés[3] » je ne sais où. Le choix est ardu : ceux-ci sont trop larges, ceux-là sont trop longs, d'autres sont déjà usés, d'autres révèlent une entaille sournoise cachée le long d'une couture. Je jette enfin mon dévolu[4] sur une paire de souliers à semelles débordantes, carrés, clou-
290 tés de neuf, et dont le cycliste m'a dit :

« J' vous les garantis six mois sans ressemelage, mon lieutenant. I's vous mèneront au bout de la campagne, pour sûr ! »

Je réponds : « Amen[5]. »

Et nous sortons, Porchon et moi, bras dessus bras dessous.
295 La nuit n'est pas très obscure. Une brume pâle dort sur les prés. Une ligne de saules[6] onduleuse dessine au-dessus d'elle le cours du ruisseau qu'elle voile.

« Où me mènes-tu ? demande Porchon.

— Attends un peu ; tu vas le savoir. »
300 Nous marchons silencieusement. Parfois nos pieds s'enfoncent dans des cendres cotonneuses et réveillent quelques braises assoupies.

---

1. **Ablutions :** toilette rapide.
2. **Cycliste :** soldat qui fait, à vélo, la jonction entre la compagnie et le bataillon pour transmettre les ordres.
3. **Levés :** récupérés.
4. **Mon dévolu :** mon choix.
5. **Amen :** « Qu'il en soit ainsi » (mot hébreu par lequel se terminent les prières dans la religion catholique).
6. **Saules :** arbres poussant dans les milieux humides.

« Point de direction, la maison isolée, dis-je. Il y a un esca-
lier avec une rampe de fer. Cramponne-toi, mon vieux, tu vas
305   voir ce que tu vas voir. »

Et je gravis en trois sauts les marches de pierre, je frappe
à la porte ; des voix d'enfants piaillent, un pas sonne sur le
plancher, et la porte, en s'ouvrant, nous enveloppe d'une
bouffée d'air tiède.

310   Nous sommes dans une cuisine enfumée, qu'une seule
chandelle posée sur la table éclaire à peine. Des chaussettes
suspendues le long d'un fil de fer, des langes[1], des mouchoirs
à carreaux sèchent au-dessus d'un fourneau. De-ci, de-là,
quelques chaises bancales s'égarent, toutes encombrées de
315   choses hétéroclites[2], une cuvette, un pantalon, une pile d'as-
siettes sales. On écrase sous ses semelles des choses molles,
des débris de nourriture sans doute, ou quelque chique[3] cra-
chée là.

L'hôte, un homme jeune encore, malingre, squelettique, le
320   visage blafard, la moustache et les cheveux d'un blond éteint,
nous offre sa main d'un geste las, une main de tuberculeux
qui fuit sous l'étreinte. On en sent à peine les os ; on a l'impression que ce sont des cartilages ; et, lorsqu'une fois on l'a
lâchée, la moiteur vous en reste collée à la peau.

325   « On vous attendait, dit l'homme. Ma femme vous a préparé ça dans l' coin là, contre les sacs de son. »

Et la femme, blonde aussi, mais pansue, boursouflée, quitte
sa chaise proche du fourneau, secoue trois ou quatre mioches
pendus après elle et va chercher la chandelle qui continue à
330   baver sur la table.

On y voit clair. Le long de la muraille plâtrée qui s'écaille,
des sacs sont alignés, sur deux côtés. Contre ces sacs, la

---

1. **Langes :** carrés de laine ou de coton dont on emmaillote les bébés.
2. **Hétéroclites :** divers et bizarres.
3. **Chique :** morceau de tabac mâché.

matrone[1] a fait une litière de paille toute fraîche, abondante, et partout d'égale épaisseur. Sur la litière elle a mis un mate-
335 las de plumes, un traversin, des couvertures, et des draps.

Cette fois nous avons des draps, un vrai lit, un lit complet. Nous allons nous fourrer entre deux draps, déshabillés, en chemise, rien qu'avec nos chemises sur le corps. Je regarde Porchon du coin de l'œil. Il a une bonne figure attendrie. Et
340 soudain il se tourne vers moi, met la main sur mon épaule, et, me regardant bien en face, à larges yeux affectueux, il dit :
« Chameau ! »

Notre coucher, ce soir-là, fut une belle chose. Dévêtus en un tour de main, nous avons plongé aux profondeurs de notre
345 lit. Tout de suite il nous a pris, de la tête aux pieds, d'un enve-loppement total et doux. Et puis à notre tour, petit à petit, en détail, nous avons pris possession de lui. Notre surprise ne finissait pas : à chaque seconde c'était un ébahissement nouveau ; nous avions beau chercher, de toute notre peau, un
350 contact qui fût rude ou blessât, il n'était pas un coin qui ne fût souplesse et tiédeur. Nos corps, qui se rappelaient toutes les pierres des champs, toutes les souches qui crèvent le sol dans les bois, et l'humidité grasse des labours, et l'âpre sécheresse des chaumes, nos corps meurtris, les nuits de bivouac, par
355 les courroies[2] de l'équipement, par les chaussures, par le sac bosselé, par tout notre harnachement de nomades sans abri, nos corps à présent ne pouvaient s'habituer assez vite à tant de volupté reconquise en une fois. Et nous riions aux éclats ; nous disions notre enthousiasme en phrases burlesques[3], en
360 plaisanteries énormes, dont chacune provoquait à nouveau des rires qui n'avaient pas de fin. Et l'homme blond riait de nous voir rire, et sa femme riait, et les gosses riaient : il y avait du rire plein ce taudis.

---

1. **Matrone :** femme corpulente et vulgaire.
2. **Courroies :** sangles.
3. **Burlesques :** ridiculement comiques.

Puis la femme est sortie doucement. Lorsqu'elle est revenue,
365 elle ramenait avec elle cinq ou six villageoises d'alentour. Et
toutes ces femmes nous regardaient rire, dans notre grabat[1] ;
et elles s'ébaubissaient[2] en chœur de ce spectacle phénomé-
nal : deux pauvres diables de qui la mort n'avait pas encore
voulu, deux soldats de la grande guerre qui s'étaient battus
370 souvent, qui avaient souffert beaucoup, et qui déliraient de
bonheur, et qui riaient à la vie de toute leur jeunesse, parce
qu'ils couchaient, ce soir-là, dans un lit. [...]

Dimanche, 4 octobre.

Porchon est rasséréné[3]. Pendant que nous piquons à la
375 pointe de nos couteaux, dans la même boîte peinte en bleu,
des pelotes de singe[4], il émet des considérations apaisantes :

« Quand nous sommes arrivés ici hier, mon vieux, je t'avoue
que j'ai eu froid dans le dos. C'était un coupe-gorge, ce coin-
là. Mais je me suis promené, j'ai fait la connaissance de tout
380 le secteur ; et au retour, j'étais aussi tranquille que j'avais été
inquiet. Tu as essayé d'avancer dans le fourré ?

— Oui.

— Et tu as été loin ?

— J'ai renoncé à avancer au bout de quelques pas.

385 — Naturellement. Dans ces conditions, je n'ai eu qu'à m'en
tenir aux consignes : faire garder les layons et envoyer des
patrouilles de temps en temps... Alors, qu'est-ce que tu veux,
je nous souhaite seulement une nuit aussi calme que la dernière, une journée de beau temps comme celle-ci, et le retour
390 au patelin pour dîner,

---

1. **Grabat :** lit misérable.
2. **Elles s'ébaubissaient :** elles s'étonnaient.
3. **Rasséréné :** rassurée.
4. **Pelotes de singe :** du corned-beef, c'est-à-dire une conserve de viande de bœuf salée.

Le pat'lin de mon rêve où je couch' dans un lit.

« Fais pas attention, j'ai le génie de l'improvisation. En attendant, vieux, mes petites prévisions nous mènent en douceur jusqu'au 8. Après comme après[1]. Mais c'est déjà une belle chose, conviens-en, d'avoir quatre jours devant soi.

— Touche du bois ! lui dis-je, malheureux ! Nous n'y sommes pas encore, dans notre lit. »

L'arrivée d'un caporal-fourrier[2] interrompt notre bavardage : il faut qu'un de nous deux aille tout de suite au poste de commandement du bataillon pour y recevoir des instructions.

Et me voilà parti, derrière l'agent de liaison[3] qui me montre le chemin.

Le poste de commandement est à un carrefour presque spacieux. Une allée forestière le coupe de sa perspective. Comme le soleil, à cette heure, se trouve juste au-dessus d'elle, on dirait une avenue éclatante frayée d'un coup au cœur de la forêt. La compagnie de réserve est là ; mais pas un soldat ne se montre. Lorsqu'on est tout près, on aperçoit des têtes qui bougent au ras d'un fossé, dans l'ombre d'un toit de branches pareil au nôtre, là-bas. Et malgré moi, je me demande quelle folie pousse ces malheureux à se tapir au fond d'un trou, quand ils pourraient surgir d'un bond dans la tiède clarté qui me baigne, où je chemine librement, seul à prendre ma part d'une joie qu'ils semblent dédaigner.

Nous nous sommes trouvés réunis, quelques camarades et moi, à l'entrée de la hutte à claire-voie[4] sous laquelle le capitaine Rive, malade, était couché. On redoutait une attaque allemande. En conséquence, telles dispositions seraient prises avant la nuit. J'ai noté sur mon carnet de poche, paragraphe

---

1. **Après comme après :** après, on verra bien.
2. **Caporal-fourrier :** voir note 2, p. 29.
3. **Agent de liaison :** voir note 9, p. 21.
4. **À claire-voie :** qui présente des vides, des jours.

420 par paragraphe ; et, après quelques recommandations d'ordre
général, nous sommes partis chacun de notre côté.

J'approchais de nos tranchées, musant dans le layon, regardant les ronds de soleil trembler sur la mousse, lorsqu'un son
étrange m'a cloué sur place. C'était un chant léger, aérien,
425 transparent comme le ciel d'où ses ondes venaient vibrer
jusqu'à nous. Il avait des ailes, ce chant ; il planait très haut,
bien plus haut que le faîte des grands arbres, plus haut que
les trilles[1] de l'alouette. Il y avait des moments où il semblait
s'éloigner, faiblissant, perceptible à peine ; puis il reprenait,
430 plus net, toujours limpide et presque immatériel. Un souffle
de vent s'enfla, courut sur les feuillages ; et avec lui volèrent
jusqu'à nous, très vite avant de s'être dispersés à l'étendue,
quelques tintements bien détachés qui firent battre mon
cœur à coups violents : c'étaient les cloches d'un village qui
435 sonnaient.

Et je restai là, immobile, écoutant la chanson des cloches
éparse sur ces bois où des hommes s'épiaient les uns les autres,
jour et nuit, et cherchaient à s'entre-tuer.

Pas de tristesse pourtant. La chanson des cloches n'est pas
440 triste. Des hauteurs du ciel où elle sonne, elle s'épand largement sur la terre et sur les hommes. Les Allemands, dans
leurs tranchées, l'entendent comme nous l'entendons. Mais
elle ne dit pas, à eux, les mêmes choses qu'elle dit à nous.

À nous, elle dit :

445 « Espérez. Je suis, tout près de vous, la voix de tous les
foyers que vous avez quittés. À chacun de vous j'apporte
l'image du coin de sol où son cœur est resté. Je suis, contre
votre cœur, le cœur du pays qui bat. Confiance à jamais en
vous, confiance et force à jamais. Je rythme la vie immor-
450 telle de la Patrie ! »

À eux, elle dit :

---

1. **Trilles :** voir note 3, p. 39.

« Insensés, qui croyiez que la France pouvait mourir !
Écoutez-moi : sur la petite église dont les vitraux en miettes
jonchent les dalles, le clocher est resté debout. C'est lui qui
455 m'envoie vers vous, allègre et moqueuse. Je vis... Je vis... Quoi
que vous ayez fait, je vis. Quoi que vous fassiez, je vivrai ! » [...]

Accoutumance

5-8 octobre [1914].

Lentes, des silhouettes se dressent. Des visages, dans l'in-
décise clarté, surgissent : un frémissement de vie secoue l'en-
gourdissement nocturne. Et la forêt, où des chants d'oiseaux
5 s'éveillent parmi les frondaisons[1], se vide enfin des ombres
monstrueuses dont la longue nuit nous avait assiégés.

Debout dans la tranchée, les hommes s'étirent, bâillent
bruyamment : c'est leur toilette du matin. Et, cela fait, toujours debout, les mains plongées au fond des poches, tapant à
10 petits coups, l'une contre l'autre, les tranches de leurs semelles
« pour faire descendre le sang dans les pieds », ils surveillent
des yeux le layon par où les cuisiniers doivent monter. Celui
qui est en face, et dont les yeux enfilent[2] la trouée, les annonce,
de très loin, qui viennent :

15 « Les v'là, les gars ! »

Alors les visages s'éclairent. On sort les quarts des musettes,
les couteaux des poches. Et lorsqu'on a taillé, au plus pansu
des boules, des tranches de pain démesurées, on attend, sans
plus rien dire, l'apparition des hommes portant le jus.

20 Ils débouchent, la barbe dorée de Pinard à leur tête.

« Un quart, mon lieutenant ? »

---

1. **Frondaisons :** feuillages.
2. **Enfilent :** prennent en enfilade.

Accroupi au bord de la tranchée, son seau de toile posé devant lui, il plonge mon quart dans le liquide brun, le retourne d'un expert mouvement de poignet, et me le tend, plein
25 jusqu'aux bords :

« Il était bouillant, dit-il, quand nous sommes partis du ravin. À présent il est comme froid. Mais qu'est-ce que vous voulez, faut tout d' même pas nous d'mander d' servir chaud dans la tranchée, avec des cuisines qui sont à pus d' trois kilo-
30 mètres ! On fait c' qu'on peut ; on n' peut pas l'impossible. »

Je bois, presque d'une haleine, l'amère décoction[1].

« Il est bon.

— N'est-ce pas qu'i' s' laisse boire ? Mais i' s'rait encore bien meilleur, si s'ment on touchait c' qui faut d' sucre aux voi-
35 tures. Hier soir, parole, j'aurais mis dans l' creux d' ma main tout l' tas d' la section. On n'est pas raisonnable avec nous. »

Il se relève, empoigne de la main gauche l'anse de son seau et, tenant de la droite le quart qui lui sert de mesure, com-mence la distribution aux hommes. Il va de l'un à l'autre, légè-
40 rement courbé pour y mieux voir dans la pénombre, qu'épand sur nous le toit de branches. Devant chacun il s'arrête, s'as-sied sur ses mollets en s'assurant au sol, du bout carré de ses souliers, un appui solide. Et quand il a vidé son quart, en secouant jusqu'à la dernière goutte, dans le quart qu'on lui
45 tend, il colle ses paumes à ses cuisses, en signe de repos, et s'offre à l'interview.

« Quoi d' neuf ? demande l'homme.

— On est r'levé c' soir.

— Alors c'est vrai ?
50 — Puisque j' te l' dis.

— Où qu'on va ?

— On r'tourne à Rupt[2].

— Sans blague ?

---

1. **Décoction :** infusion (le café dans de l'eau qui a bouilli).
2. **Rupt :** village de Moselle.

— Puisque j' te l' dis.

55 — Comment qu' tu l' sais ?

— De quoi ?... Il est bon, çui-là ! J' te l' dis, c'est tout ! Tu verras toujours si je l' savais pas. »

Les autres cuistots, cependant, ont terminé leur besogne. Le tas de boules rousses[1], qu'avait épandues sur la mousse 60 le sac de toile qu'elles bossuaient[2], peu à peu a décru, disparu. Et Brémond, le premier par l'autorité après Pinard[3], ayant découpé en parts égales les grillades qui restaient au fond des plats, vient de distribuer « le rabiot de barbaque[4] ».

Les hommes, dans la tranchée, se taisent. Ils mangent.

65 Assis sur leurs sacs, le dos appuyé au parapet, ils coupent d'énormes bouchées de viande en maintenant la tranche, du pouce, contre leur quignon de pain. Plusieurs, qui n'ont pas de couteau, saisissent à pleins doigts le morceau de bœuf graisseux et le déchiquettent des dents. Lorsqu'un tendon 70 résiste, ils ont, pour arracher le lambeau de chair, une brève torsion du cou, un mouvement sec de toute la tête pareil à ceux des bêtes carnassières. On n'entend plus que le bruit des mâchoires, parfois le tintement d'un quart qui heurte une pierre, et devant nous, quelque part sous les feuilles, le 75 coup de gosier d'un pinson[5] qui salue la lumière.

Soudain, claire dans l'atmosphère matinale, la détonation d'un mauser[6] claque. La balle file, très haut sur nos têtes. Un homme dit :

« Grouillez-vous, la cuistance[7] ! Pinard a montré son bouc[8] : 80 vous êtes repérés. »

---

1. **Boules rousses :** boules de pain.
2. **Bossuaient :** faisaient des bosses.
3. **Brémond [...] Pinard :** il s'agit des deux chefs « cuistots ».
4. **Barbaque :** viande (en argot).
5. **Pinson :** petit oiseau passereau.
6. **Mauser :** voir note 1, p. 51.
7. **La cuistance :** les hommes de la cuisine (en argot).
8. **Bouc :** collier de barbe en pointe.

Un autre coup de fusil retentit, un peu sur la gauche ; puis un autre à droite ; puis, presque simultanément, deux autres en face de nous. Et les balles, cette fois, piaulent[1].

85 Maintenant qu'il fait plein jour, les tireurs boches sont à leur poste. Cachés au plus touffu des arbres, à califourchon sur quelque maîtresse branche, ils fouillent les bois du regard.

Les yeux aux verres de leurs jumelles, ils épient le passage soudain, en une éclaircie[2] propice à la visée, d'une capote bleue à boutons de cuivre, la tache vive d'un pantalon rouge.

90 Dès qu'un taillis, un buisson, un fossé comblé de fougères leur semblent cacher une chose vivante, ils tirent. À chaque instant, comme d'une lanière méchante, les claquements de leurs fusils cinglent le silence de l'automne.

Les cuistots, sans hâte, rassemblent les campements, les
95 seaux de toile, les bouthéons[3]. Pondérés, méticuleux, ils savent le prix des choses, et qu'un plat qu'on égare se remplace moins aisément qu'un homme qui tombe.

« Au revoir, les poteaux[4] ! dit Pinard. Et à c' soir. »

Puis, à ses hommes :

100 « Tout y est, vous aut'es ? En avant ! »

Ils s'enfoncent dans le layon. Des voix les suivent :

« Vous tâcherez d' nous mijoter quéqu' chose de *maous*[5] !

— Qu' ça s' tienne bien, surtout, avec beaucoup d' patates autour ! »

105 Les hommes, heureux, rient de se regarder l'un l'autre.

« Ah ! dis donc, si on va s' taper la cerise[6] !

— Et pagnoter[7] dans du bon foin !

---

1. **Piaulent :** piaillent (produisent un grincement aigu).
2. **Éclaircie :** endroit moins boisé, où l'on voit plus clair ; clairière.
3. **Bouthéons :** petites marmites métalliques dont le couvercle peut servir d'assiette.
4. **Poteaux :** amis (en argot).
5. **Maous :** énorme (familièrement).
6. **S'taper la cerise :** se régaler (familièrement).
7. **Pagnoter :** se mettre au lit (familièrement).

— Tu vois, p'tit, faut pas qu'on s' plaigne. Y a pas toujours que d' la misère. Y a d' bons moments... »

110 C'est sans doute un pauvre bonheur que celui que nous attendons : un peu de tiédeur à notre chair, un peu de calme à nos cœurs. Mais seulement de l'attendre nous sommes transfigurés. Nous nous sentons légers, soulevés d'une reconnaissance sans objet. Et des larmes me viennent aux yeux, sim-

115 plement parce qu'un de mes hommes, à mi-voix et comme à lui-même, redit les mots qu'il a dits tout à l'heure :

« Faut pas qu'on s' plaigne. Y a d' bons moments... »

Le vendredi 9 octobre, Maurice Genevoix et ses hommes partent quelques kilomètres plus loin.

120 *Une période de stabilisation du front commence alors, dans des conditions extrêmes. Tour à tour, la pluie et le gel transforment les hommes en blocs de glaise ou de glace. Le régiment de Maurice Genevoix change de secteur et est dirigé plus au nord, face au village des Éparges et à la crête qui le surplombe.*

125 *Les longues marches et les travaux de terrassement pour construire de nouvelles tranchées usent les hommes. La monotonie les ronge, mais il faut rester vigilant. À tout instant, une balle ou une rafale d'obus peut tuer et blesser. On travaille la nuit pour être à l'abri des regards des observateurs ennemis.*

130 *Les bataillons se déplacent tous les trois jours : des dangereuses tranchées de premières lignes à une seconde position de réserve dans les bois, sous des huttes ou des abris souterrains, jusqu'au repos tant attendu, dans un village éloigné des coups de canons. Les soldats y retrouvent avec bonheur*

135 *les granges et la paille, quand les officiers cherchent et partagent un lit disponible. Se réchauffer autour d'une cheminée et manger chaud n'ont pas de prix pour des soldats qui ont passé six jours et six nuits dans la boue et le froid.*

Trois jours au sec pour écrire et rassurer sa famille, nettoyer
140 *les uniformes et les armes souillés d'argile jaune et grasse, faire*
sécher les brodequins et les équipements de cuir gorgés d'eau.

Mais cela ne dure pas et on repart sac au dos et fusil à
l'épaule. Les généraux ont désigné l'objectif qui est straté-
gique : il faut prendre d'assaut les formidables positions alle-
145 *mandes qui, dominant la plaine de la Woëvre, les narguent*
depuis cinq mois, là haut, au sommet de ce piton nu et ravagé.

C'est pour le 17 février 1915. Le 2ᵉ bataillon du 106ᵉ, celui
de Maurice Genevoix, sera en tête...

Les Éparges

À la chère mémoire d'André

(Biredjik, 1920).

La menace

[...]

[...] C'est pour demain, 17 février. C'est notre bataillon qui donnera l'assaut. Les mines sauteront à deux heures ; il y aura bombardement d'une heure, allongement du tir[1] pendant dix minutes ; nous sortirons des parallèles[2] à trois heures juste.

La mort

[...]

17 février 1915.
[...] Nous sommes debout lorsque les fumées monstrueuses et blanches, tachées de voltigeantes choses noires, se gonflent au bord du plateau, derrière la ligne proche de l'horizon. Elles
5 ne jaillissent pas ; elles développent des volutes énormes, qui sortent les unes des autres, encore, encore, jusqu'à former ces quatre monstres de fumée, immobiles et criblés de sombres projectiles. Maintenant les mines tonnent, lourdement aussi, monstrueusement, à la ressemblance des fumées. Le bruit
10 reflue, roule sur nos épaules ; et tout de suite, de l'autre côté, du même côté, de tous les vals[3], de toute la plaine et du ciel même, les canons lâchent les vannes déferlantes du vacarme.
« En avant ! Par un ; derrière moi. »

---

1. **Allongement du tir :** augmentation de la portée du canon.
2. **Nous sortirons des parallèles :** nous sortirons des tranchées qui sont parallèles à la ligne de front.
3. **De tous les vals :** ou vaux ; de toutes les vallées.

Nous montons vers l'entrée du boyau, sans la voir, bouscu-
15 lés par l'immense fracas, titubants, écrasés, obstinés, rageurs.

« En avant ! Dépêchons-nous ! »

Le ciel craque, se lézarde et croule. Le sol martelé pantelle[1]. Nous ne voyons plus rien, qu'une poudre rousse qui
flambe ou qui saigne, et parfois, au travers de cette nuée fuli-
20 gineuse[2] et puante, une coulée fraîche d'adorable soleil, un
lambeau de soleil mourant.

« En avant ! Suivez... En avant... Suivez... »

Il me semble que mes hommes suivent. Par-dessus le boyau[3],
je vois bondir une forme humaine, capote terreuse, tête nue ;
25 et sur la peau, sur l'étoffe sans couleur, du sang qui coule, très
frais, très rouge, d'un rouge éclatant et vermeil.

« Suivez... Suivez... »

Des mots cahotent, mêlés au fracas des canons :

« Un Boche... La boue sur les frusques[4]... Un Français...
30 Foutu... »

Plus de voix ; plus de pas ; rien que la folie des canons. Ceux
du Montgirmont[5] cognent à la volée, se rapprochent, nous
poussent dans le dos. Ceux de Calonne[6], ceux du Bois-Haut,
ceux des ravins, tous les canons des Hauts se rapprochent, les
35 mortiers, les obusiers[7], les 75, les 120, les 155, les pièces de
marine[8], toute la meute se rapproche et hurle, toute la ligne
douce et longue des collines ne peut plus être aussi loin qu'elle
était, avance jusqu'au village, le déborde et nous pousse brutalement. C'est inouï, cette brutalité. Le Montgirmont devient

---

1. **Pantelle :** se soulève comme s'il palpitait.
2. **Fuligineuse :** noirâtre.
3. **Boyau :** fossé en zigzag qui relie les tranchées (les « parallèles ») entre
   elles.
4. **Frusques :** habits, uniforme (familièrement).
5. **Montgirmont :** nom d'une crête.
6. **Calonne :** voir la note 1 p. 48.
7. **Mortiers, obusiers :** canons courts utilisés par l'infanterie.
8. **Pièces de marine :** canons de 75 mm installés en batterie.

40 fou, crache ses obus par-dessus nos têtes, nous courbe sous
un vol de grandes faux, sifflant, volontaire et bestial.

Nous suffoquons. Des pierres jaillissent et retombent ; une
flamme jaillit, avec un ricanement furieux.

« Allez ! Allez ! Par-dessus ! »

45 Quelque chose de lourd a cogné dans mes jambes, et j'ai
fléchi, les jarrets coupés nets.

« Par-dessus ! En avant ! »

C'est la tête de Grondin qui a cogné dans mes jambes. Je me
suis retourné, sans horreur ; et j'ai vu le corps écrasé, ense-
50 veli déjà sous l'immense piétinement, avec encore, à ras de
terre, la plaie glougloutante du cou.

Nous marchons toujours, soulevés par l'air qui tressaute,
bousculés par les parois dansantes du boyau, souffletés de
boue, de gravats, de flots d'air rougeâtres et brûlants.

55 « Baissez-vous ! Ils tirent trop court[1] !

— Faites des signaux ! Ils nous tuent !

— Envoyez un homme !

— En avant ! En avant !

— Non ! C'est les Boches qui répondent ! »

60 Nous ne distinguons plus. Deux fois, trois fois de suite,
nous avons vu la terre s'entrouvrir et cracher des pierres qui
flambaient. Nous courons, pliés en deux, poursuivis par les
75, par ces couperets sifflants qui rasent, terribles, les bords
du boyau, par ce seul 75 qui tire trop court, qui frappe tou-
65 jours à la même place, à notre droite.

« Halte ! Tous couchés... Poussez-les, s'ils ne veulent pas
bouger ! »

Nous sommes dans la tranchée de tir. Elle est pleine
d'hommes boulés[2] au fond, les épaules farouchement col-
70 lées à la terre du parapet. Dans la fumée, un officier gesti-

---

1. **Ils tirent trop court :** les canons (français) n'envoient pas leurs obus
assez loin – ils tombent sur le bataillon.
2. **Boulés :** recroquevillés.

cule, le front bosselé, hurle des mots que je n'entends pas.
Et mes hommes arrivent toujours ; et le même 75 continue
de taper, du même rythme implacable et mortel, à la même
place, à quelques mètres sur la droite.

75   « Poussez-les ! Poussez-les ! »

L'officier gesticule toujours. Je l'ai reconnu : c'est Pinvindic,
un de la 4e. Je ne comprends pas ce qu'il crie, ce qu'il veut ; il a
l'air d'un fou dangereux. Mes hommes se boulent aussi, se collent au flanc des autres, s'aplatissent et se tassent, font corps
80   avec la tranchée fumante. Là où frappe le 75, il y a un mort
couché seul. De temps en temps, à travers la fumée, j'aperçois
des yeux grands ouverts, un dos qui respire, une main sou-
daine qui fait un geste. C'est toujours pareil : on devine des
obus très lourds qui s'écrasent vers le piton, des vols chuin-
85   tants[1] de 155, des tournoiements patauds[2] de *minen*[3] ; mais
cela ne compte pas ; cela se perd dans les jets raides des 75,
disparaît derrière cette voûte[4] tranchante et dure, qui s'abaisse,
qui se bande, si violemment tendue qu'elle va se briser tout
à coup, crouler sur nous et nous anéantir. Elle est toujours
90   là ; nous ne pouvons que baisser la tête, n'avoir plus de tête
si nous pouvons, plus de poitrine, plus de ventre, n'être plus
qu'un dos et des épaules recroquevillés.

Quelqu'un se courbe : devant moi, à toucher mon visage,
je retrouve les yeux exorbités, le front bosselé de Pinvidic.
95   Il crie dans mon oreille, à travers le fracas énorme. Je l'entends presque : il me dit que Thellier n'est pas arrivé, qu'on
ne peut plus aller le chercher, que tout est compromis si je
ne monte pas à sa place. Et sans que j'aie pu répondre, ouvrir

---

1. **Chuintants :** produisant un sifflement sourd.
2. **Patauds :** maladroits.
3. *Minen :* obus allemands de 105 et de 150 mm.
4. **Voûte :** succession d'obus qui forme comme un toit (une « voûte ») au-
dessus des têtes.

la bouche, faire un signe de tête, il continue, en proie à une
100 fureur croissante, à une démence véritable :

« Tu monteras ! Tu monteras ! Tu monteras ! »

Sa voix s'étrangle ; un point de salive cotonneuse tache au
milieu ses lèvres sèches. Alors je me retourne, et je lui hurle
dans l'oreille :

105 « Ta gueule !

— Qu'est-ce que tu dis ?

— Ta gueule ! Et fous-moi la paix ! »

Il ne dit plus rien. Il est près de moi, accroupi comme moi
contre le parapet ; son visage révulsé[1] s'apaise ; il semble dor-
110 mir, les yeux grands ouverts.

Toujours la même chose : des vols d'obus lointains, des
tonnerres lourds, et tout près, rasant nos têtes, la voûte forcenée des 75. La tranchée a l'air creusée par elle, comme par
un pic monstrueux ; la terre ne cesse de fumer, dans une
115 moiteur de blessure fraîche ; et sur cette terre bouleversée
des éclats brillent, allument des lueurs nettes et méchantes,
se pressent autour de nous sans vouloir s'éteindre encore et
retomber enfin à l'immobilité des choses. L'espace est plein
d'éclats vivants. On les entend qui ronflent, sifflent, ron-
120 ronnent et miaulent ; ils frappent la glaise[2] avec des chocs
mats[3] de couteaux, heurtent la voûte tintante qui durement
les rabat, en des stridences exaspérées. Tous les obus français viennent frapper à la place où nous sommes, un peu en
avant, sur une ligne immuable, que nous verrions si nous
125 pouvions lever la tête. Nous en sommes sûrs. À cinquante
mètres à droite ou à gauche, les 75 ne frappent plus. C'est
juste à cette place, devant nous, sur un front d'une trentaine
de mètres ; peut-être moins ; sûrement moins... Ils ne frappent plus que devant Pinvidic et moi. Tout le bruit est dans

---

1. **Révulsé :** bouleversé.
2. **Glaise :** terre grasse, compacte (argileuse).
3. **Mats :** sourds.

130 ma tête ; les coups de trique des départs font sonner mon
crâne plus sèchement qu'une noix vide ; les éclatements écla-
boussent ma cervelle ; ils sont près de moi, comme des êtres :
ils ricanent à cause de moi.

Cela ne change pas. On devine devant nous une frange
135 de fumées fulgurantes ; on l'imagine qui déroule son ressac[1]
jusqu'au plus profond des ravins. Et ce bruit, tout ce bruit qui
ne change jamais... On penche sa tête endolorie ; on n'entend
plus : on dort, prostré, les yeux grands ouverts, à quelques
pas de l'homme seul qui est mort.

140 « Debout ! Ceux de la 7e, debout ! Par un, derrière moi,
dans la sape[2]. »

La voûte s'est élevée tout à coup, plus large, plus lente, plus
humaine. On entend siffler distinctement le coup de fouet de
chaque trajectoire ; on sépare chaque éclatement des autres ;
145 la fumée glisse sur nous, coule à nos pieds comme une étoffe ;
nos fronts émergent à la lumière.

« Dépêchons, Souesme[3]. Veillez à ce qu'on suive derrière.

— Bien, mon lieutenant », dit la voix de Souesme.

Il n'a pas crié, et je l'ai entendu. Je me retourne, et je vois
150 Dorizon[4] près de Souesme, les traits crispés encore d'une
contraction douloureuse.

« T'as vu Grondin[5] ? » dit Biloray[6].

On s'aperçoit que tous nos 75 tirent encore, par rafales
sèches et précipitées. Ils vont plus loin : ce sont des 75 qui
155 tirent. L'air qu'on respire picote la gorge ; un âcre brouillard
fauve traîne ses guenilles[7] déchiquetées ; on découvre, au tra-

---

1. **Ressac :** violent retour, reflux.
2. **Sape :** tranchée d'approche pour atteindre l'ennemi.
3. **Souesme :** soldat de la section.
4. **Dorizon :** soldat de la section.
5. **Grondin :** soldat de la section.
6. **Biloray :** soldat de la section.
7. **Guenilles :** lambeaux de fumées (comme s'il s'agissait de guenilles, de morceaux de vieux vêtements).

vers des pans de ciel extraordinairement bleus, la pente d'une colline, quelques sapins aux pointes aiguës.

« Plus vite... Plus vite... »

160 Le tir des canons s'allonge, égrène ses coups l'un après l'autre. Les lignes de la terre ont repris leur forme et leur place : nous sommes dans une sape des Éparges, dans la sape 6, la deuxième sur la crête à partir de la droite.

« Halte ! »

165 Nous sommes au bout de la sape 6. À nos pieds, des lambeaux de terre gisent sur la boue sans se mêler à elle : ce sont des lambeaux profonds, tranchés vif, montrant leurs arêtes calcinées ; ils jonchent la sape, parmi des spirales courtes de barbelés, des morceaux de piquets aux pâles effilochures, et 170 les éclats, toujours, allumant sur la boue leurs clartés froides et mauvaises.

Le dernier obus... Un silence... Était-ce le dernier obus ?... Chaque seconde de silence me soulève, me force à monter une marche du gradin[1]. C'est une emprise physique, une 175 espèce d'ordre irrésistible.

« En avant ! »

Toute la force était derrière moi ; il n'y avait rien par-devant, pas d'obstacle sensible qu'il m'ait fallu franchir. Je n'ai rien senti, qu'un grandissement soudain, une plongée de tout 180 mon corps dans un espace inconnu, immensément large et pur. Je me suis retourné : j'ai vu que Sicot et Biloray me suivaient, les premiers, devant les deux sergents ; j'ai vu derrière leurs épaules une foule d'hommes encore ensevelis, crevant la terre des pointes de leurs baïonnettes, et sortant, sortant, 185 à n'en plus finir.

« En avant ! En avant ! »

Notre artillerie ne tire plus ; les fusils allemands ne tirent pas. Nous enjambons les fils de fer tordus, trébuchons dans

---

1. **Une marche du gradin :** une marche creusée dans la terre pour grimper plus facilement sur le haut de la sape.

les vagues d'argile soulevées par les canons ; chacun de nos
190 pas fait monter jusqu'à nos narines l'odeur corrosive[1] et violente de la terre empoisonnée.

Nous voyons tout : les hommes de la 5ᵉ qui sortent à notre
gauche, et qui montent, sous les lueurs des baïonnettes ; la
friche[2] bouleversée, longuement déserte à notre droite, où
195 les hommes de la 6ᵉ n'apparaissent pas encore.

Devant nous, personne. À notre gauche, loin, nous voyons
Floquart[3] qui galope, tête nue ; Noiret[4], qui court un peu plus
loin, se penche et disparaît de l'autre côté de la crête. Pas un
Allemand... Où sont-ils ?
200 Un coup de fusil vers la gauche ; un tapotement bref de
mitrailleuse ; et plus rien. Les hommes de la 5ᵉ sortent toujours.

La mine 6[5] : des madriers enchevêtrés, fracassés, des fibres
de bois blême faisant charpie[6] sur la terre noire, des chevaux
de frise en miettes, une loque de drap brûlé accrochée aux
205 ronces d'un fil de fer. Un grand silence : c'est ici que montait
l'une des formidables fusées[7].

Personne toujours. La mitrailleuse, à gauche, a de nouveau
tapé cinq ou six balles, puis s'est tue. Nous avançons encore,
enjambons un talus qui s'éboule, et tombons dans la tran-
210 chée allemande — vide.

C'est la première, celle qui nous dominait hier, celle d'où
les Boches déversaient sur nos têtes leurs écopes[8] de bois
remplies d'eau, celle d'où leurs tirailleurs battaient le pont

---

1. **Corrosive :** qui ronge comme un acide.
2. **Friche :** terre non cultivée.
3. **Floquart :** soldat de la section.
4. **Noiret :** soldat de la section.
5. **Mine :** galerie de sape.
6. **Faisant charpie :** déchirés en menus morceaux effilés.
7. **Fusées :** jets raides dont il est question page 79.
8. **Écopes :** pelles en bois.

sur le Longeau[1], la vallée, le petit calvaire[2], cherchaient dans
nos parapets les minces trous noirs de nos créneaux, celle
d'où ils nous ont tué Bujon, Maignan, Soriot, tous les autres...

Nous sommes très haut. Nous dominons les collines et les
prés, la Woëvre[3] immense, les routes de nos vieux chemine-
ments ; nous respirons un air plus léger ; il semble que nous
nous dominions nous-mêmes.

« Ah ! Voilà les potes ! »

Ceux de la 6e sont enfin sortis. Ils montent ; je les appelle de
loin, en agitant mon manche à balai[4]. Mes hommes rient à présent, stupéfaits de cet assaut étrange, de cette conquête déri-
soirement facile. Ils crient à ceux de la 6e, lorsqu'ils passent :

« L'arme à la bretelle ! Tout de suite ! Vous avez l'air d'an-
douilles, avec vos baïonnettes en l'air ! »

L'heure d'angoisse effrayante sous la fureur de nos canons,
ils l'oublient ; le corps de Grondin qu'ils viennent de piéti-
ner, ils l'oublient, et le premier blessé ruisselant d'un sang si
rouge, et toute cette dure journée d'attente, dans les trous...
Ils regardent à leurs pieds, très loin, par-dessus les lignes
moutonnantes des bois, aux confins mauves de la Woëvre,
le plus loin qu'ils peuvent regarder. Ils crient, pleins d'une
fierté d'enfants :

« Ça fait rien ! Ils étaient guère vaches, les Boches ! Qu'est-ce
qu'on en aurait déglingué, nous aut'es, si on avait été en haut,
et eux en bas ! »

Ils vont et viennent sur les parois de l'énorme entonnoir,
se penchent, circonspects[5], à l'entrée des abris effondrés :

« Des édredons ! s'exclament-ils. Les crapules ! Et du pinard !
Une bouteille de pinard pas cassée ! Hein, tu parles ! »

---

1. **Le Longeau :** nom d'un village.
2. **Petit calvaire :** enclos où se dresse la croix du Christ.
3. **La Woëvre :** nom d'une large plaine au pied des Côtes de Meuse.
4. **Manche à balai :** pour gravir la colline, le narrateur se sert d'un manche
   à balai comme d'une canne.
5. **Circonspects :** prudents.

Ils disent encore, en se bouchant le nez :

« Si ça schlingue[1], là-dedans ! »

245   Et encore, tout à coup :

« Un macchabée ! »

Il y a des cadavres allemands, que nous n'avions pas vus tout de suite. Le plus près de moi est allongé sur le talus, entre l'entonnoir et la tranchée ; allongé sur le dos, paisiblement.

250   C'est un petit homme brun, le menton noirci de poils raides. Bras écartés, jambes écartées, il repose. Si on s'approche de lui, on voit luire entre ses paupières les sclérotiques[2] bleuâtres et nacrées ; il vous montre sa main dépouillée, trois tendons pâles dessinés à traits fins sur la bouillie vineuse[3] des muscles.

255   « Laissez passer ! Laissez passer ! »

Un blessé apparaît sur le bord de l'entonnoir ; un Français. Deux hommes le soutiennent aux aisselles ; il se laisse couler sur le dos, jusqu'en bas. Oh ! il me semble... C'est Noiret. Je me précipite vers lui :

260   « Eh bien, vieux ?

— Dans la cuisse, dit-il. Une balle. »

Il est encore tout vibrant de l'assaut. Il me raconte, à mots précipités :

« Ça a bardé un peu, à gauche !... Quels abris ! Un chemin

265   de fer à voie étroite là-dessous ! On en a chauffé des bitures[4]... Floquart et moi, des coups de pétoire en pleine figure... Une balle dans la tête, Floquart. Il a été, tu sais... épatant ! On ne sait pas si c'est grave : dans la tête... Il est descendu tout seul... Moi je descends... Bonne chance, mon vieux. »

270   Il se courbe, soutenu par les deux hommes qui l'accompagnent, se contorsionne, avec des grimaces de souffrance, pour se glisser sous le coffrage disloqué de notre ancienne galerie.

---

1. **Ça schlingue :** ça pue (familièrement).
2. **Sclérotiques :** membranes formant le blanc de l'œil.
3. **Vineuse :** qui a la couleur du vin rouge.
4. **On en a chauffé des bitures :** on a fait donner nos pièces d'artillerie.

Il faut ramper là-dessous, dans un chaos de madriers brisés, de fers tordus, de boue profonde, suffoqué par le manque 275 d'air, par l'odeur de sanie[1] et de poudre qui stagne là comme une eau lourde.

J'entends Noiret qui gémit sourdement. Puis il crie, d'une voix énervée et lointaine : « Tirez plus fort ! Arrachez-moi la jambe ! » Et tous les trois réapparaissent enfin, debout dans 280 la sape, au ciel libre.

Chic type, Noiret ! Il se retourne encore et me fait au revoir de la main. Puis il rit, tend le bras, montre quelque chose : « Regarde-les ! »

Ils[2] arrivent en courant, capotes ouvertes, sans armes, pous- 285 sés par quelques-uns des nôtres. Ils dévalent, faisant rouler les mottes sous leurs grosses semelles ferrées.

« Halte ! » crie le capitaine Rive.

Ils s'arrêtent, essoufflés, inquiets, considèrent l'entonnoir plein de soldats français ; quelques-uns essaient de sourire ; 290 deux ou trois s'asseyent, dans la boue. Ce sont des hommes du 8e bavarois[3].

« Les gradés ? » demande Rive.

Un lieutenant fait un pas et salue, raide, gauche, ses mains crispées sur la jumelle qu'il porte en sautoir[4], comme s'il avait 295 peur qu'on ne la lui vole. Le capitaine parle ; il répond : de brèves répliques qui s'entrechoquent :

« Die Russen verschlagen[5]. — Noch nicht verschlagen[6]... L'Allemagne ébranlée... — Jamais ! — Le blocus... — Jamais ! — Allez-vous-en... »

300 Ils descendent tous. Il en reste un pourtant, un gamin en larmes, le front meurtri d'une bosse énorme à laquelle il

---

1. **Odeur de sanie :** odeur de pus et de sang.
2. **Ils :** des Allemands faits prisonniers.
3. **Bavarois :** de Bavière.
4. **En sautoir :** autour du cou (comme un collier).
5. **Die Russen verschlagen :** les Russes battus.
6. **Noch nicht verschlagen :** pas encore battus.

porte la main, sans cesse, d'un geste inconscient. Puis il lève
des bras qui tremblent, et il répète, les yeux soudain agrandis d'horreur :

305   « Schrecklich[1] !... Oh ! Schrecklich !
          — Engagé volontaire ? demande Rive.
          — Oui, monsieur le capitaine.
          — Étudiant ?
          — Oui, monsieur le capitaine.
310   — Quel âge ?
          — Dix-sept ans et demi.
          — J'en ai quarante-huit », dit le capitaine Rive.

Il regarde cet enfant qui pleure, secoue la tête, casse un
morceau de chocolat, le lui donne.

315   « Merci, monsieur le capitaine.
          — Descends maintenant ; va... descends. »

Et le gosse en larmes s'en va, en croquant son chocolat.

On travaille, à présent. On entasse des sacs à terre aux
lèvres sud de l'entonnoir ; on taille des degrés sur les pentes
320 d'argile bouleversées ; la terre meuble obéit souplement. On
se hâte, aux approches de la nuit.

Le ciel est redevenu gris. L'entonnoir, où l'on cause à voix
hautes, où l'on monte et descend, collés par files aux parois
gluantes, semble effroyablement plein d'hommes. Le crépus-
325 cule s'abaisse sur ses bords, triste, maussade, comme amolli
de pluie prochaine ; et il se met à bruiner[2], sournoisement,
en même temps que la nuit coule.

Le capitaine Rive est là-dedans ; Porchon et Rebière sont là-
dedans, quelque part ; le capitaine Secousse, Thellier, Moline
330 doivent être là-dedans.

S'ensuivent quatre jours et quatre nuits d'apocalypse.
Exposés à la pluie glacée, sans ravitaillement et sans secours,

---

1. *Schrecklich :* épouvantable, effrayant.
2. **Bruiner :** pleuvoir très finement.

les Français subissent un bombardement continu qui ne s'interrompt brièvement que pendant les contre-attaques alle-
335   mandes. Les explosions mutilent, pulvérisent ou enterrent
vivants. Genevoix est miraculeusement épargné par l'explosion d'un énorme obus qui, tombé devant lui, tue et blesse grièvement la plupart des survivants de sa section.

     Le sous-lieutenant Porchon, compagnon des premiers ins-
340   tants, tombe également, parmi tant d'autres, le 20 février.

     Relevé pendant quelques jours pour panser ses plaies, le
106e R.I. retourne sur le piton des Éparges en mars, puis à partir du 5 avril pour un assaut général qui, espère-t-on, mettra
fin au calvaire. Encore des sacrifices dans une mer de boue
345   qui engloutit les blessés et rend inutilisable l'armement indi-
viduel. L'objectif est finalement atteint le 9 avril.

     On compte alors les morts et les disparus dans les rangs du
106e, au cours d'une période de repos à l'arrière. Tous souhai-
tent quitter définitivement ce secteur maudit.

350   Mais une brusque attaque d'une division allemande, le
24 avril, enfonce les premières lignes françaises à la Tranchée
de Calonne, au sud-est des Éparges, et met en péril les succès
récemment obtenus.

     Le 106e, appelé en renfort, à marche forcée, prend positon
355   dans les bois. Promu lieutenant, Maurice Genevoix commande
désormais la 5e compagnie. Le lendemain, à l'aube, il place
ses hommes qui improvisent une ligne de défense.

     Ils sont au contact de l'ennemi...

L'adieu

24-25 avril [1915].

[...] Des hommes du 301[1] se couchent parmi les nôtres,
et creusent. Le boyau qui monte vers la colline en est plein.
Ont-ils perdu le sommet ? Le tiennent-ils toujours ? Je n'ai
pas vu descendre leur colonel... À mes pieds, un râle[2] se
traîne : un Allemand est étendu là, un sous-officier, allongé
dans une toile de tente qu'on a repliée sur son corps. Ce gar-
gouillement... « Une balle dans la poitrine ? — Oui. — Ont-
ils donc avancé jusqu'ici ? — Celui-là tout seul. Un piqué[3] :
il a dit qu'il voulait la croix d' fer[4]. »

Une rafale d'obus dégringole ; une autre encore ; et la
fusillade reprend. Dast me parle ; et déjà, à cause du vacarme,
il est obligé de crier :

« Tu peux retourner au centre ! Je réponds de mon coin.
Que je sache seulement où tu es... »

Encore une fois, je parcours la ligne d'un bout à l'autre. À
tous mes tirailleurs, je redis les mêmes phrases en passant :

« Laissez-les tirer ; abritez-vous d'abord... Le bois est clair :
s'ils avancent, vous les verrez... Attendez de les voir pour
tirer ; ne gaspillez pas vos cartouches. »

J'atteins la droite, reviens vers le centre. À quelques pas
du jeune soldat, mort, deux hommes vers qui je marche se

---

1. **Du 301 :** du 301ᵉ régiment d'infanterie.
2. **Râle :** homme blessé qui gémit.
3. **Piqué :** fou.
4. **Croix de fer :** décoration militaire allemande décernée pour fait de
vaillance.

retournent. Ils me font signe, de leur main vivement abais-
sée : « Abritez-vous ! » Je suis tout près d'eux, je leur crie :
25   « Qu'est-ce qu'il y a ?

— Baissez-vous ! Il y a une trouée ! Ils voient ! »

Trop tard : je suis tombé un genou en terre. Dur et sec, un
choc a heurté mon bras gauche. Il est derrière moi ; il saigne
à flots saccadés. Je voudrais le ramener à mon flanc : je ne
30 peux pas. Je voudrais me lever : je ne peux pas. Mon bras
que je regarde tressaute[1] au choc d'une deuxième balle, et
saigne par un autre trou. Mon genou pèse sur le sol, comme
si mon corps était de plomb ; ma tête s'incline : et sous mes
yeux un lambeau d'étoffe saute, au choc mat d'une troisième
35 balle. Stupide[2], je vois sur ma poitrine, à gauche près de l'aisselle, un profond sillon de chair rouge.

Il faut me lever, me traîner ailleurs... Est-ce Sansois qui
parle ? Est-ce qu'on me porte ? Je n'ai pas perdu connaissance ;
mon souffle fait un bruit étrange, un rauquement rapide et
40 doux ; les cimes des arbres tournoient dans un ciel vertigi-
neux, mêlé de rose et de vert tendres.

L'abri est sombre ; des hommes s'agitent autour de moi :
Chabredier, Léostic, Éveillé, Mounot qui se penche et qui n'ose
me toucher, qui s'éloigne et revient, et dit « oh !... oh !... », sans
45 cesse, du même ton monotone et navré. Ils coupent mes vêtements ; ils fourrent sous mon aisselle ruisselante d'énormes
tampons de compresses ; leurs silhouettes passent et repas-
sent sur la porte ensoleillée.

« Vous voyez, mon commandant... Je croyais bien, après
50 les Éparges... »

Je parle ; je parle. Une foule de pensées m'assaillent, de
sensations, de souvenirs.

« Mon commandant, Dast m'a dit tout à l'heure... »

---

1. **Tressaute :** sursaute.
2. **Stupide :** hébété.

Rive, à peine entré, s'est retiré dans le fond de l'abri. Je l'entends qui chuchote avec les autres qui sont là : « Des porteurs... Une toile de tente avec des branches... » Et, revenant à moi, il prend ma main, me dit au revoir.

« Ne parlez plus. On va vous emmener. Je vous souhaite bonne chance de tout cœur. »

De tout cœur... Alors pourquoi me laisse-t-il ? Pourquoi cette hâte à me faire emmener ? J'avais tant de choses à lui dire ! Blessé comme je le suis, grièvement, il pouvait bien rester quelques minutes près de moi.

On me soulève, on me porte dehors. La fusillade crépite toujours, et des balles sifflent, et d'autres claquent...

Dépêchez-vous ! Nous étions en sûreté dans l'abri ; éloignons-nous de cette fusillade... Quel soleil à travers les feuilles ! Quel ruissellement de lumière, là-haut !

Ils m'ont porté jusqu'au carrefour, dans une toile de tente suspendue à deux branches robustes. Le poids de mon corps tirait sur la toile, m'écrasait le bras contre le flanc. Ils allaient à tout petits pas ; je voyais devant moi Charnaval et Mounot ; je ne pouvais pas voir les deux autres, derrière ma tête ; j'étais trop las pour demander leurs noms.

Dans un abri du carrefour, un médecin auxiliaire inconnu m'a pansé, puis m'a fait au bras droit une piqûre de caféine[1]. Il tombait beaucoup d'obus. Dontenville, le caporal d'ordinaire de la 8e, me parlait, accroupi près de la porte, en guettant les sifflements :

« Paraîtrait, disait-il, que le lieutenant Davril a disparu.

— Davril ?

— Oh ! ce n'est pas encore sûr. »

Ils m'ont chargé sur une poussette à deux roues. Un brancardier d'un autre régiment a saisi les mancherons ; nous

---

1. **Caféine** : alcaloïde extrait du café et utilisé en médecine pour stimuler le cœur.

85 sommes partis par la route de Mouilly : et Mounot me sui-
vait toujours.

« Arrêtez-vous... Le grand major, là-bas... Appelez-le. »

C'était Le Labousse[1], à Mouilly, debout devant une voûte de
cave. À lui aussi, j'aurais voulu parler, longtemps. Il m'a sem-
90 blé distrait, préoccupé, lointain. À tout ce que je lui disais, il
répondait par monosyllabes, ou ne me répondait pas.

« Vous m'entendez, Le Labousse ?

— Mais oui, mon vieux, je vous entends... Ne parlez plus,
ne parlez plus. Il faut vous en aller à Rupt... Au revoir, mon
95 vieux, bonne chance. »

Lui aussi, il me renvoyait ? Il ne voulait pas m'écouter ? Un
ami est blessé, et l'on dit à l'homme qui l'emmène : « Allez-
vous-en... Dépêchez-vous de vous en aller. » Nous roulions
vers Amblonville[2] ; chaque cahot me martyrisait. J'étais triste,
100 à cause du commandant Rive, de Le Labousse, de Dast, de
Sansois, des soldats qui m'avaient porté jusqu'au carrefour,
de tous ceux par qui j'étais seul. Il n'y avait plus que Mounot,
près de moi, qui me regardait avec une douceur triste. Mon
vieux Mounot... Il était là depuis les premiers jours. Lorsque
105 Pannechon avait été blessé, il avait pris la place de Pannechon
près de moi : je les aimais bien tous les deux.

« Hein, Mounot ?

— Mon lieutenant ?

— Rien, Mounot. »

110 Maintenant, j'étais à Rupt, dans une grande maison nue
où des portes battaient, où des blessés légers attendaient,
debout contre les murs ; où les blessés couchés attendaient,
comme moi, leur civière posée sur le carrelage de briques.
Des scribes[3], sur une longue table de bois blanc, remplis-
115 saient des fiches, se levaient, couraient, criaient. Quelqu'un

---

1. **Le Labousse :** nom du major médecin militaire.
2. **Amblonville :** au sud de Verdun.
3. **Scribes :** hommes qui écrivaient.

s'est penché sur moi et m'a piqué encore avec une seringue
de Pravaz[1] : du sérum antitétanique, sans doute. La tête au ras
du sol, je regardais toutes ces jambes s'agiter ; cela m'étour-
dissait, et je fermais les yeux.

120 « Tu es toujours là, Mounot ? »

Il avait disparu. Peut-être l'avait-on renvoyé. Des courants
d'air glacés rôdaient au ras du sol. Et des blessés entraient
toujours, et d'autres s'en allaient par les portes battantes.

« Wang ?... Par ici, Wang. »

125 Il s'est approché de moi ; il était blessé au cou.

« Restez un peu. Vous êtes pansé ? Est-ce vrai que Davril
a disparu ?

— Je ne sais pas, mon lieutenant. J'ai été blessé presque en
même temps que vous. »

130 Des ronflements, des trépidations[2] de moteurs s'entendaient
dans la rue, derrière les fenêtres sans rideaux. Le jour s'assom-
brissait aux vitres : il devait être déjà tard. Au-dessus de ma
tête, l'agitation de tous ces hommes s'exaspérait ; les portes
claquaient, se rouvraient ; des voix criaient : « Grouillez-vous,
135 les brancardiers ! Encore huit pour cette fournée ! Celui-là...
Celui-là... Emballez[3] ! » De longues plaintes s'élevaient, trem-
blantes. Des brancards passaient contre moi ; des étoffes
rudes me balayaient le front.

« Wang ? Vous monterez avec moi ? »

140 Où était-il ? Une main palpait ma capote, y accrochait une
fiche de carton.

« Le lieutenant, là... Enlevez ! »

À mon tour je criais, tout le côté broyé. On me portait
dehors, on me fourrait dans une grande caisse obscure ; un

---

1. **Pravaz :** nom d'un sérum antitétanique (le tétanos étant un bacille qui
   s'attaque au système nerveux).
2. **Des trépidations :** des tremblements rapides.
3. **Emballez :** embarquez.

145 vantail[1] tombait lourdement ; et l'ambulance automobile partait.

Vous tous qui l'avez fait, vous savez si c'est un dur voyage. La nuit vient. Au-dessus de soi, contre soi, on devine d'autres brancards où s'allongent des formes humaines. À chaque 150 cahot, elles crient. On s'énerve de les entendre ; on se dit : « Pourquoi ces hommes crient-ils si fort ? » Un autre cahot, plus violent, fait monter des cris plus farouches ; l'un de ces cris a retenti, tout près. Qui est là ? Qui a crié ? Et l'on songe, tout à coup : « C'est moi. »

155 La nuit est venue, très noire. Les voix des conducteurs bourdonnent, paisibles à travers les sursauts des cris :

« Où qu'on est ?

— Au Rattentout.

— Tu files droit par Haudainville ?

160 — Non, à gauche, par Dieue et Dugny. »

C'est le deuxième village traversé, Dieue sans doute après Génicourt. Hier, nous étions à Dieue. Vers dix heures du matin, comme chaque jour, nous sommes rentrés de l'exercice ; les deux grandes filles, au côté l'une de l'autre, étaient debout 165 devant leur maison. Hier... Et nous roulons toujours. Et l'infernale voiture bondit, nous secoue ; et l'ombre qui m'enveloppe pantelle, blessée de cris, d'injures et de supplications.

« Plus vite, qu'on arrive !

— Doucement... Arrête !

170 « Assassins ! »

Paisibles, les deux voix bourdonnent toujours :

« Si tu les écoutais, quoi qu' tu ferais ? »

On s'arrête enfin, après combien d'heures ? D'autres bras vous ballottent, chair exténuée, vidée de sang. J'ai dû me pas-175 ser les doigts sur le visage, car des taches poisseuses me raidissent la peau en séchant. Je vais être joli quand elles viendront à moi, ces deux infirmières lentes qui marchent au pied des

---

1. **Vantail :** panneau qu'on rabat de haut vers le bas.

brancards, et vers chaque blessé se penchent, un instant. Une main m'a cloué sur la tête mon képi neuf de Verdun[1], mon
180 « pot à fleurs » d'un bleu si suave. Quelle tête de pierrot[2] pâle et barbouillé de sang, sous mon beau képi tout neuf !

La salle de gare, aux murs chaulés[3], est pleine d'une violente lumière mauve ; les globes des lampes, au-dessus de nous, nous éblouissent douloureusement, nous forcent à
185 tenir nos paupières ouvertes. On voudrait tourner le cou, se cacher la tête sous un pan de vêtement ; on ne bouge pas, les yeux rivés à ces lumières cruelles ; de temps en temps, les charbons des arcs[4] sifflent, comme un fer rouge plongé dans l'eau. Il flotte une odeur écœurante, de coaltar[5], d'eau
190 de Javel et de sang fade.

« Un lieutenant du 106, docteur. »

Ils me touchent, une aiguille me pique encore. Je vois pourtant la vareuse sombre du major entre les deux infirmières blanches. Ils me parlent. Je réponds : « Oui, oui... » Et la voix
195 du docteur prononce :

« Inévacuable. Hôpital militaire. »

Oh ! quand cela finira-t-il ? Je croyais être arrivé : ce n'était qu'une étape, encore. Un train siffle, des roues de wagons, rythmiquement, font sonner des plaques tournantes. D'autres
200 bras me hissent dans une minuscule carriole ; et nous roulons longtemps, par un faubourg interminable, sur des pavés.

---

1. **Képi neuf de Verdun :** képi neuf qui remplace l'ancien, inutilisable puis perdu.
2. **Pierrot :** nom traditionnel d'un clown blanc (dont le visage est enfariné).
3. **Chaulés :** passés par hygiène à la chaux.
4. **Les charbons des arcs :** dans une lampe dite « à arc », la lumière provient de deux baguettes de charbon reliées aux deux pôles d'une batterie.
5. **Coaltar :** nom d'un produit utilisé comme désinfectant, comme antiseptique.

Des lumières, une vibration dure de timbre[1] électrique ; des couloirs dallés, une porte qui s'ouvre sur une petite chambre glauque[2] ; un lit ; des draps...

205 Il n'y a plus qu'une infirmière dans la chambre. Elle va et vient, silencieusement. Elle n'est plus jeune, ses traits sont las et bons. Elle ne fait pas du tout de bruit.

« Doucement... Ne bougez plus... Je reste jusqu'à ce que ce soit fini. »

210 Elle vient de me piquer la jambe. Un tube de caoutchouc monte de l'aiguille jusqu'à une grosse bouteille, haut suspendue à la tête de mon lit.

« Qu'est-ce que c'est ?

— Ce n'est rien.

215 — Je vois ce que c'est... C'est du sérum physiologique[3].

— Oui, un peu de sérum.

— J'ai donc perdu tellement de sang ?

— Un peu, un peu... Ne bougez pas.

— Est-ce qu'on va regarder mon bras ?

220 — Demain matin... Il est trop tard ce soir.

— Quelle heure est-il ?

— Bientôt minuit... Ne bougez pas. »

Elle retire l'aiguille et dit : « Nna. » Elle éteint la lumière ; elle s'en va. Il n'y a plus, venant du couloir par la cloison vitrée,
225 qu'un peu de clarté glauque immobile sur les murs.

****

---

1. **De timbre :** de sonnette.
2. **Glauque :** verdâtre.
3. **Sérum physiologique :** solution médicale perfusée pour compenser la perte de sang.

Et ma guerre est finie. Je les ai tous quittés, ceux qui sont morts près de moi, ceux que j'ai laissés dans le layon de la forêt, aventurés[1] au péril de mort. Je ne veux plus me rappeler mes premières nuits d'hôpital agitées de cauchemars
230 délirants, ni la table blanche et nue et les gants rouges du chirurgien, ni ce goût d'éther dans ma gorge, ni l'âcre petite pipe de l'infirmier Bastien, ni les trous que creusaient ses doigts dans mon bras bronzé de gangrène[2].

Ils m'ont écrit, et ils m'ont souhaité bon courage. Qu'ai-je
235 besoin de courage, à présent ? Cette souffrance qui m'est échue[3], ni mon courage, ni ma lâcheté n'y changeraient rien. Je n'ai plus qu'à me laisser vivre, plus qu'à m'abandonner — vous me l'écrivez, Le Labousse — à la douceur d'un merveilleux printemps. J'ai votre lettre sur mes genoux : vous l'avez écrite
240 pour le blessé que je suis, un blessé dans un hôpital, loin de vous. Vous viviez parmi nous, là-bas ; mais ceux de nous qui s'en allaient blessés, vous les pansiez, et vous les regardiez partir. Les connaissiez-vous mieux que nous ? Me connaissez-vous mieux, à présent que je suis l'un d'eux ?

245 Et vous me dites : « Ne pensez plus à nous... » Oh ! mes amis, est-ce possible ? Il y avait moi parmi vous ; et maintenant, il n'y a plus que vous. Que serais-je sans vous ? Mon bonheur même, sans vous, que serait-il ?

Le cycliste de l'hôpital est entré dans ma chambre. Il m'ap-
250 portait une paire de longues bottines pointues, pour le jour où je pourrai marcher. Il m'a dit : « C'est d'avant-hier que votre dépêche[4] est partie. Combien faut-il de temps pour venir de chez vous ? »... Il faut jusqu'à demain matin.

---

1. **Aventurés :** exposés.
2. **Bronzé de gangrène :** bruni par la gangrène (par la putréfaction des chairs).
3. **Qui m'est échue :** qui est tombée sur moi.
4. **Votre dépêche :** votre lettre.

Et je ne serai plus soldat. J'étais pareil à ceux qui sont morts,
255 à ceux qui doivent encore mourir ; et toute ma vie est là,
douce et chaude, comme une poitrine que je serrerais contre
la mienne. Chaque fois que je regarde cette porte, mon cœur
bat ; et des larmes viennent mouiller mes yeux. Oh ! mes
amis, est-ce ma faute si j'ai tant changé ?

260 Vous me dites que non ; vous me dites qu'au milieu de vous
j'étais le même, et que nous étions vraiment frères, chacun de
nous avec son bonheur endormi. On se croit résigné à mourir ; et parce que la vie est là, une houle de bonheur monte
et gronde, et des larmes vous viennent aux yeux à regarder
265 une porte qui va s'ouvrir.

Notre guerre, jusqu'au layon dans la forêt, jusqu'à ce grand
major debout devant une voûte de cave, à Mouilly... Par la
route des Éparges, un ami blessé arrive sur une civière ; et, le
voyant si pâle, on dit au brancardier inconnu qui l'emmène :
270 « Allez-vous-en. Dépêchez-vous... » Et le brancardier s'en va.
Et même s'il continue de vivre, le blessé ne reviendra plus.

Notre guerre... Vous et moi, quelques hommes, une centaine que j'ai connus. En est-il donc pour dire : « La guerre
est ceci et cela » ? Ils disent qu'ils comprennent et qu'ils
275 savent ; ils expliquent la guerre et la jaugent[1] à la mesure de
leurs débiles cerveaux.

On vous a tués, et c'est le plus grand des crimes. Vous avez
donné votre vie, et vous êtes les plus malheureux. Je ne sais
que cela, les gestes que nous avons faits, notre souffrance et
280 notre gaieté, les mots que nous disions, les visages que nous
avions parmi les autres visages, et votre mort.

Vous n'êtes guère plus d'une centaine, et votre foule m'apparaît effrayante, trop lourde, trop serrée pour moi seul. Combien
de vos gestes passés aurai-je perdus, chaque demain, et de vos
285 paroles vivantes, et de tout ce qui était vous ? Il ne me reste
plus que moi, et l'image de vous que vous m'avez donnée.

---

1. **La jaugent :** en parlent et la jugent.

Presque rien : trois sourires sur une toute petite photo, un vivant entre deux morts, la main posée sur leur épaule. Ils clignent des yeux, tous les trois, à cause du soleil printa-nier. Mais du soleil, sur la petite photo grise, que reste-t-il ?

POUR
APPROFONDIR

Clefs de lecture

En route vers le front/ Sous les obus face à l'ennemi (p. 16-p. 26)

Action et personnages

1. Qui est le narrateur ? Quelles sont ses fonctions ?
2. Où et quand se déroule l'action ?
3. À quoi s'occupent les soldats quand ils ne combattent pas ?
4. À quel type de bataille assiste-t-on ?
5. Quelles sont les réactions des combattants ?

Genre ou thèmes

6. Sous quelle forme se présente le récit ?
7. En quoi ce récit est-il autobiographique ?
8. Étudiez les jeux de couleurs dans les descriptions.
9. Étudiez la nature et la fonction des bruits.
10. En quoi peut-on parler d'une écriture impressionniste ?

Langue

11. Analysez la phrase suivante : « Pourquoi diable a-t-il donné l'ordre d'arracher les petits drapeaux tricolores dont la foule ondulait tout à l'heure sur le bataillon en marche ? » (p. 18).
12. « Je le paie avec du tabac «fin» ; il m'embrasserait » : analysez la forme verbale « embrasserait » et justifiez son emploi.
13. Analysez la phrase suivante : « La nouvelle me parvient, je ne sais comment, que le 67ᵉ se replie, sur notre gauche en principe » (p. 22).
14. Repérez trois façons différentes d'exprimer le temps.
15. Repérez trois façons différentes d'exprimer l'ordre.

 ## À retenir

Tantôt l'auteur délègue à l'un de ses personnages le soin de raconter. Tantôt l'auteur se dissimule derrière un narrateur invisible et omniscient. Tantôt, enfin, auteur et narrateur se confondent, comme c'est ici le cas ainsi que dans tous les récits autobiographiques.

Pour approfondir

Clefs de lecture

La bataille de la Marne
(p. 26-p. 41)

Action et personnages

1. Quelles sont les pensées et les sensations du narrateur « en plein sous le feu » ennemi ?
2. Quelles sont les différentes phases de l'attaque ?
3. De quelle manière les Allemands contre-attaquent-ils ?
4. Quelle est l'attitude du capitaine Maignan ?
5. Quel est le bilan de la bataille ?

Genre ou thèmes

6. Comment le narrateur rend-il compte de la confusion des combats ?
7. Quels passages vous semblent appartenir au registre pathétique ?
8. Comment se manifeste l'héroïsme des soldats ?
9. Pourquoi l'auteur rétablit-il une « note » qu'il avait pourtant précédemment supprimée ?
10. Que révèle de l'état d'esprit du narrateur la phrase suivante : « Qu'importe demain, puisque ce soir la vie est bonne ! » (p. 41) ?

Langue

11. Transposez la phrase suivante au style indirect : « Ne les touchez pas ! Vous n'en avez plus le droit ! Ils ne sont plus des soldats » (p. 29).
12. Relevez deux façons différentes d'exprimer la manière.
13. Relevez deux façons différentes d'exprimer la comparaison.
14. Relevez une proposition subordonnée circonstancielle de but.
15. « Déjà il n'y a plus de braillards à voix rauque » : donnez la fonction de « braillards ».

 ## À retenir

Il existe plusieurs types de phrases : avec ou sans verbe ; simple ou complexe. Une phrase sans verbe est dite nominale. Concise par nature, elle traduit des notations rapides, des sensations fugitives ou une formule choc. La phrase complexe comprend une proposition principale et une ou plusieurs propositions subordonnées. Elle traduit précisément la complexité d'une pensée ou d'une réalité.

Clefs de lecture

Dans les tranchées / Touché !
(p. 42-p. 51)

Action et personnages

1. Quels sont les effets de la pluie et de la boue sur l'état physique et moral des soldats ?
2. Où dorment-ils ? Comment et de quoi se nourrissent-ils ?
3. Quelles instructions le narrateur donne-t-il à ses hommes ?
4. Qu'est-ce qui le sauve d'une mort certaine ?
5. Quelle est l'attitude des officiers ?

Genre ou thèmes

6. Comment la souffrance est-elle rendue de manière presque palpable ?
7. Comment le narrateur décrit-il l'horreur de la guerre ? Quel registre est ici le plus sollicité ?
8. Quelles sont les différentes phases par lesquelles passe le narrateur après avoir été touché ?
9. Repérez les phrases appartenant au registre de l'éloge.
10. Relevez les passages où le narrateur exerce son ironie contre lui-même.

Écriture

11. Relevez des expressions de la langue familière. Justifiez leur présence.
12. « On ne les entendait point siffler » : quelles sont la nature et la fonction de « les » ?
13. Dans la proposition subordonnée suivante : « après qu'elle s'était tue », analysez la forme verbale et justifiez son emploi.
14. Quels sont les synonymes de « grotesque » ?
15. Relevez un emploi du gérondif.

À retenir

Au sens strict, le présent de l'indicatif indique que le fait énoncé se produit au moment même de son énonciation. Dans un sens plus large, le présent peut traduire un fait d'habitude, donc répété, une vérité générale ou un fait passé que l'on présente comme s'il était en train de se produire. C'est le présent historique ou de narration.

Clefs de lecture

La vie dans les tranchées / « Y a d' bons moments ! » (p. 52-p. 72)

Action et personnages

1. En dehors des combats, quelle est la vie quotidienne des « poilus » ?
2. Quelle est la double image des cantonnements évoqués ?
3. Quelles redoutables qualités le narrateur prête-t-il à l'ennemi ?
4. Quel danger particulier représentent les « fusants » ?
5. Pourquoi le narrateur et son ami Porchon rient-ils aux éclats ?

Genre ou thèmes

6. Relevez le passage qui correspond à un éloge funèbre.
7. Repérez les mots qui appartiennent au vocabulaire de la tristesse et de la monotonie.
8. Étudiez l'art du portrait.
9. Qu'y a-t-il de pathétique dans le bonheur du narrateur ?
10. Comment les cloches sont-elles personnifiées ?

Écriture

11. Racontez un moment de bonheur objectivement dérisoire et pourtant très important.
12. Décrivez une souffrance physique (quelle qu'en soit la cause).

À retenir

La personnification est un procédé stylistique qui consiste à présenter une notion ou une chose comme un être vivant. Celle-ci peut prendre la forme d'une allégorie quand il s'agit de représenter une abstraction. La prosopopée consiste, quant à elle, à faire parler fictivement un absent ou un mort.

Pour approfondir

Clefs de lecture

Le combat des Éparges
(p. 76-p. 87)

Action et personnages

1. Distinguez les différentes phases de l'assaut.
2. Comment s'exprime « la fureur des canons » ? Quels sont les images et le vocabulaire privilégiés ?
3. Qui est Pindivic ? Qu'ordonne-t-il ? Pourquoi le narrateur refuse-t-il de lui obéir ?
4. Que deviennent les Allemands ?

Genre ou thèmes

5. Qu'est-ce qui rend cet assaut d'un réalisme presque insupportable ?
6. En quoi le dialogue entre le capitaine Rive et le prisonnier allemand est-il pathétique ?
7. En quoi consiste ici le tragique ?

Écriture

8. Le capitaine Rive « regarde cet enfant qui pleure, secoue la tête » : imaginez ses pensées.
9. Développez le commentaire suivant : « Ils étaient guère vaches, les Boches » (p. 84).
10. « Une balle dans la tête, Floquart. Il a été, tu sais... épatant. On ne sait pas si c'est grave : dans la tête... Il est descendu tout seul. » : développez les implicites et les non-dits de cette phrase.

À retenir

La focalisation est le lieu d'où le narrateur assume son récit. Il en existe de trois sortes :
la focalisation zéro, où le narrateur omniscient sait tout des événements et des pensées ;
la focalisation externe, où le narrateur ne sait que ce qu'il voit et entend (qui ignore donc les pensées secrètes des personnages) ;
la focalisation interne, où tout est vu, perçu par le regard du narrateur et rien en dehors de ce qu'il perçoit, comme c'est le cas ici.

Clefs de lecture

Grièvement blessé/ L'adieu, le souvenir, la fidélité (p. 89-p. 99)

Action et personnages

1. Dans quelles circonstances le narrateur est-il blessé ? Combien de balles reçoit-il ? Quels détails indiquent la gravité de la blessure ?
2. Qu'y a-t-il de tragiquement ironique dans cette blessure ?
3. Comment le narrateur est-il évacué ? Quelles sont les différentes étapes de cette évacuation ?
4. À quoi, à qui le narrateur pense-t-il en priorité ?
5. Quelles conclusions tire-t-il de son expérience de la guerre ?

Genre ou thèmes

6. Étudiez le traitement du temps (son ralentissement, son accélération...).
7. Étudiez le thème de la fraternité.
8. À quel genre littéraire appartiennent les dernières pages (à partir de : « Et ma guerre est finie », p. 97) ?
9. Comment se manifeste le tragique ?

Écriture

10. Le Labousse a écrit une lettre au narrateur, qui ne nous en donne pas le contenu exact : rédigez cette lettre.
11. Rédigez la réponse du narrateur.
12. « Que serais-je sans vous ? » se demande le narrateur. Explicitez sa pensée.

 ## À retenir

Une méditation implique recueillement, concentration et approfondissement de la pensée. C'est ce que fait le narrateur dans les dernières lignes. Cette méditation prend la forme d'un lyrisme élégiaque, empreint de fraternité et de générosité, en même temps que d'un réquisitoire contre les fauteurs de guerre et tous les commentateurs qui ne sont jamais allés au feu.

Pour approfondir

Genre, action, personnages
Genre et registres

Un journal de guerre

L'œuvre se présente sous la forme d'un journal : « vendredi, 28 août », « samedi, 29 août », « lundi 31, août »... Sous-lieutenant affecté au 106e régiment d'infanterie, le narrateur consigne jour après jour ses faits et gestes à la tête de sa section. C'est le récit de la guerre telle qu'il la voit, telle qu'il la vit. Sa vision du conflit n'est pas celle, globale, que peut en avoir l'état-major, c'est celle, partielle, qu'en a un simple officier dans sa tranchée. Ce journal s'étend sur neuf mois, du 25 août 1914, jour de la montée vers le front, au 25 avril 1915, où, grièvement blessé lors des combats autour des Éparges, il est évacué vers l'arrière et transféré d'hôpital en hôpital. Ce jour-là, écrit le narrateur, « *ma* guerre est finie ». Ce n'est pas que le conflit, lui, le soit – il durera encore trois ans et demi –, mais c'est la fin de sa vie de « poilu ».

Une chronique historique

Ce journal de guerre s'apparente au genre littéraire de la chronique. Celle-ci se définit en effet comme un récit d'événements qui suit l'ordre dans lequel ceux-ci se sont déroulés. Leur authenticité ne fait par ailleurs aucun doute. Les observations sont prises sur le vif, ou fondées sur des souvenirs précis. Leur véracité est telle que, lorsque *Sous Verdun* parut, en 1916, de nombreux passages en furent censurés sur ordre des autorités. Elles redoutaient que les horreurs décrites ne démoralisent l'opinion publique ! Cette censure ne découragea d'ailleurs pas Maurice Genevoix de poursuivre son œuvre de témoignage : « Cela fut, et cela est resté à mes yeux un signe et un encouragement. Ni l'arbitraire ni la bêtise n'ont le goût de la vérité », commentera-t-il quelques années plus tard.

Un récit autobiographique

Cette « vérité » tient au fait qu'elle émane d'un témoignage irréfutable. Dans la gamme des genres littéraires, il existe en effet des récits faussement autobiographiques, des Mémoires pseudo-historiques et des chroniques largement fictives. Ici, rien de tel. Rien n'est imaginaire. Le « je » qui assume le récit est Maurice Genevoix, qui est à la fois l'au-

Genre, action, personnages

teur du livre, le narrateur du récit, l'acteur et le témoin de la narration. C'est la caractéristique même de l'autobiographie. Tout commence avec « l'ordre de départ » et s'achève avec l'hospitalisation du blessé. M. Genevoix laisse aux historiens le soin de décrire et d'analyser ce que fut, dans sa totalité, la « grande guerre ». Comme il l'écrit dans sa préface à l'édition définitive qu'il publie en 1949 : « Je souhaite que d'anciens combattants, à lire ces pages de souvenirs, y retrouvent un peu d'eux-mêmes et de ceux qu'ils furent un jour ; et que d'autres peut-être, ayant achevé de lire, songent, ne serait-ce qu'un instant : "C'est vrai, pourtant. Cela existait, pourtant." »

Registres

Les registres inscrivent dans le langage les émotions ressenties. Ceux-ci sont divers.

Le registre tragique est celui même du sujet. Quoi de plus tragique en effet que la guerre, que le sort de ces soldats, jeunes pour l'immense majorité d'entre eux, pris dans un engrenage qui les dépasse et qui les voue à une mort quasi certaine ?

Le registre pathétique, qui exprime la souffrance physique ou morale, est, lui aussi, largement présent : dans la description des cadavres déchiquetés par les obus, des blessés affreusement mutilés, de la peur des hommes juste avant l'assaut ou dans l'analyse presque clinique des effets du froid, de l'humidité et de la boue sur les corps et les esprits.

Le registre comique, pour être plus inattendu, n'en apparaît pas moins ici et là. Certains détails font sourire. Après tant de nuits passées dans les tranchées, la perspective de dormir dans un vrai lit, dans des draps chauds, est une promesse de bonheur et de joie : « Et nous riions aux éclats ; nous disions notre enthousiasme en phrases burlesques, en plaisanteries énormes, dont chacune provoquait à nouveau des rires qui n'avaient pas de fin [...]. Il y avait du rire plein ce taudis » (p. 64).

Le registre lyrique surgit notamment dans les dernières pages quand, allongé sur son lit d'hôpital, le narrateur songe aux hommes de sa section. Le ton se fait douloureusement fraternel, d'une immense compassion : « On vous a tués, et c'est le plus grand des crimes. Vous avez donné votre vie, et vous êtes les plus malheureux. Je ne sais que

Genre, action, personnages

cela, les gestes que nous avons faits, notre souffrance et notre gaieté, les mots que nous disions, les visages que nous avions parmi les autres visages, et votre mort » (p. 98).

Niveaux de langue

Ils sont aussi variés que les registres. Le lieutenant Genevoix, ancien élève de la prestigieuse École normale supérieure, a fait de solides études. Il s'exprime en homme habitué à manier les mots. En outre, sous le combattant perce déjà l'écrivain, attentif aux paysages, aux couleurs, aux bruits. Voici, par exemple, ce qu'il dit de la plaine battue par la pluie : « Sur cette platitude pèsent des nuages bas, aux formes lâches, de grandes traînées de pluie qui rampent l'une vers l'autre, s'accouplent, se confondent, finissant par voiler tout le bleu qui brillait à travers les feuilles et nous faire prisonniers d'un ciel uniformément terne, humide et froid » (p. 39). Cette description, comme tant d'autres, est tout à la fois un tableau et un état d'âme. Son style sait se faire plus sec quand il s'agit de traduire la rapidité d'un ordre, d'une manœuvre ou une volée d'obus : « Ligne de sections par quatre dans le bois, près d'une clairière » ; « Course forcenée vers les lignes des chasseurs » ; ou encore : « Le ciel craque, se lézarde et croule »... Genevoix ne rechigne pas à recourir à l'argot militaire : la « guitoune », le « barda », le « jus », le « quart », la « viandasse », « le rabiot de la barbaque », les « chaudrons », les « marmites ». Il fait enfin parler ses hommes, dont beaucoup sinon tous n'ont pas fait d'études, exactement comme ils s'exprimaient : familièrement, parfois en patois, souvent en estropiant les mots : « Quoi d' neuf ? » ; « Il est bon, çui-là ! J' te l' dis, c'est tout ! Tu verras toujours si je l' savais pas » (p. 69-70). S'ils font sourire, de tels propos, dans les circonstances de leur énonciation, émeuvent et renforcent la véracité du récit.

Action et personnages

Souffrir, combattre, mourir, vivre peut-être

Ceux de 14 ne relate aucune histoire, mais une page d'Histoire : c'est, dans ses atrocités et ses rires, dans ses fureurs et sa monotonie, la vie

Genre, action, personnages

quotidienne des « poilus ». Le narrateur et sa section embarquent dans un train pour Verdun, effectuent d'épuisantes marches, creusent des tranchées, supportent le froid, la pluie, pataugent dans la boue, dorment comme ils le peuvent, luttent contre le désespoir. Assourdissantes, sans fin, les canonnades éventrent la terre, épouvantent les hommes, les forcent à se faire le plus petit possible. C'est alors le saut hors des tranchées, l'assaut sous le feu meurtrier de l'ennemi, la peur, les cris, les ordres hurlés, les hommes qui tombent en grand nombre, morts, blessés, affreusement mutilés. Quand la section ne monte pas à l'assaut, elle subit celui de l'ennemi : « *Vorwärts !* » C'est l'horreur, la tuerie. Entre deux combats, le repos paraît délicieux : « Qu'importe demain, puisque ce soir la vie est bonne ! » On retourne à des occupations ordinaires : se raser, se fabriquer une pipe à partir d'une branche de merisier, se soucier de ses chaussures, se nourrir le plus souvent de viande froide et d'un peu de riz. Une grillade, un café chaud, un verre de vin ou une gorgée d'eau-de-vie constituent un festin ! Ce sont ainsi dix, cent faits d'une guerre vécue au jour le jour qui sont rapportés, depuis les plus petits détails, en soi fort insignifiants mais qui dans le contexte de la guerre prennent une importance capitale, jusqu'aux combats violents, acharnés. Rien n'est romanesque, tout est modestement héroïque.

Un narrateur patriote, héroïque, humain

À aucun moment le narrateur Maurice Genevoix ne fait son autoportrait. Mais son attitude, ses actes, ses réactions permettent de brosser son portrait. L'homme est un patriote, prêt à mourir pour la défense de son pays : « J'y suis ! J'y suis ! » se répète-t-il lors de son baptême du feu. L'officier qu'il est a une vive conscience de ses devoirs et responsabilités : il marche au combat à la tête de sa section, encourage les uns, réconforte les autres. Il est lui et en même temps chacun de ses soldats, comme s'il se démultipliait : « Je me sens vivre dans tous ces hommes qu'un geste de moi pousse en avant, face aux balles qui volent vers nous, cherchant les poitrines, les fronts, la chair vivante » (p. 28). Son coup d'œil est aussi rapide que ses analyses de la situation : ici pour ordonner un repli, là pour opérer un contournement, ailleurs pour diriger un tir. Une immense compassion l'envahit quand il songe

Genre, action, personnages

à ses hommes. Sur son lit d'hôpital, c'est à eux qu'il pense, se sentant presque coupable de les avoir abandonnés. De la guerre qu'il a faite par devoir, avec courage et héroïsme, il n'éprouve que dégoût et répulsion. Maurice Genevoix n'était pas un officier de carrière, mais « un de 14 » parmi des centaines de milliers d'autres.

Portraits d'officiers français

M. Genevoix évoque à l'occasion ses supérieurs. Quelques mots lui suffisent pour suggérer une silhouette ou pour camper un caractère : « Un petit homme se promène, debout, tranquille et nonchalant. Quel est ce téméraire ? À la jumelle, je distingue une barbe dorée, la fumée bleue d'une pipe : c'est le capitaine Maignan. On m'avait déjà dit son attitude au feu » (p. 30-31). Le lieutenant Porchon, qui deviendra son ami, est « très franc, ambitieux sur toutes choses de se montrer juste avec indulgence, brave avec simplicité ». Cet officier, tué aux Éparges le 20 février 1915 et à qui Genevoix dédie *Sous Verdun* – la première partie de *Ceux de 14* –, a, lui aussi, une haute idée de sa mission : « Être gai, savoir l'être au plus âcre des souffrances du corps, le rester lorsque la dévastation et la mort frappent durement auprès de vous, tenir bon à ces assauts constants que mènent contre le cœur tous les sens surexcités, c'est pour le chef un rude devoir, et sacré » (p. 40-41). Ces officiers paieront cher leur vaillance. Après cinq jours de combats, le colonel du régiment est « blessé, le chef du premier bataillon blessé aussi, ceux du deuxième et du troisième tués » (p. 40). Âgé de 48 ans, le capitaine Rive a pitié de son jeune prisonnier, âgé seulement de 17 ans et demi, engagé volontaire, et lui donne pour le consoler du chocolat comme à un enfant, comme à l'enfant qu'il est encore. Seul Pindivic, un officier de la 4e, ne montre pas de grandes qualités : littéralement halluciné par les bombardements, « il a l'air d'un fou dangereux » à qui le narrateur refuse d'obéir parce qu'il ne sait plus ce qu'il dit ni ce qu'il commande (p. 79).

L'ennemi

Son évocation est contrastée. En tant qu'entité, que groupe, il est l'objet d'une haine plus ou moins marquée. Ce sont les « Boches », ainsi que la plupart des Français appelaient les Allemands, « ceux d'en face », « ceux de là-bas » ou, quand ils attaquent, des « sauvages », « un troupeau de buffles », des « silhouettes noires » qui, le soir, défoncent les portes de villageois avec des hurlements « avinés ». À plusieurs reprises, le narrateur éprouve une « colère démesurée contre ceux qui nous font la guerre, ceux par qui tout ce sang coule, ceux qui massacrent et mutilent » (p. 47). Mais dès lors que l'ennemi cesse d'être une masse compacte pour devenir des individus, redevenir des êtres humains, le propos se fait moins rude. Genevoix observe à la jumelle un uhlan[1] panser deux blessés français. Le capitaine Rive rend hommage au lieutenant allemand, prisonnier, agonisant, qui, avant de mourir, lui demande de faire parvenir aux membres de sa famille ses papiers personnels : « Il m'a dicté leur adresse, m'a remercié ; et puis il a laissé aller sa tête et il est mort, sans un soupir : un homme » (p. 58). Malgré sa monstruosité, la guerre ne parvient pas à anéantir toute noblesse d'âme, toute solidarité.

Silhouettes de civils

Au hasard des déplacements de son régiment, de ses traversées de villages plus ou moins abandonnés autour de Verdun, voici quelques figures de civils, solidaires des soldats, bienveillants ou douloureusement pathétiques. Un geste, une attitude, un détail physique les font immédiatement vivre. Parfois on pourrait même en faire un dessin. Le départ de Châlons-sur-Marne est l'occasion d'un « défilé en ville : trottoirs grouillants, mouchoirs qu'on agite, sourires et pleurs » (p. 17). Une vieille Alsacienne « toute petite, rose et ratatinée, coiffée d'un bonnet rond très blanc » invite à dîner le narrateur et le lieutenant Porchon. Ailleurs un couple leur a préparé un vrai lit. L'homme, « jeune encore, malingre, squelettique, le visage blafard, la moustache et les cheveux d'un blond éteint, nous offre sa main d'un geste las, une main de tuberculeux qui fuit sous l'étreinte. On en sent à peine les os ; on a l'impression que ce sont des cartilages ; et, lorsqu'une fois on l'a lâchée, la moiteur vous en reste collée à la peau » (p. 63). Comme s'il fallait que la maladie ajoute aux malheurs de la guerre ! La solidarité n'en devient que plus émouvante, et l'art du portrait, chez Genevoix, que plus admirable.

---

1. **Uhlan :** cavalier allemand.

Thèmes et textes

Pacifisme, patriotisme, nationalisme

Bien avant qu'il n'éclate en 1914, le conflit semble inévitable. Beaucoup en tout cas le redoutent. Quelle attitude dès lors adopter ? Les uns pressentant son horreur campent sur une ligne pacifiste, implorant peuples et gouvernements de ne pas commettre l'irréparable. D'autres prônent un patriotisme d'autant plus farouche qu'ils veulent prendre leur revanche sur la défaite de 1870 et récupérer l'Alsace et la Lorraine, devenues allemandes depuis cette date. Certains enfin manifestent un nationalisme sans faille, accompagné d'une forte xénophobie à l'égard des Allemands. Voici une illustration de ces trois positions.

Documents

❶ Extrait d'« Éviter la catastrophe ! » de Jean Jaurès, publié dans *L'Avenir socialiste* n° 384, du 1er août 1914.

❷ Extrait d'« À la veille de l'action » de Georges Clemenceau, article publié dans *Homme libre*, le 2 août 1914.

❸ Extrait de *Chronique de la Grande Guerre. Septembre 1914* de Maurice Barrès (1928).

❶ *Fondateur, en 1904, du journal* L'Humanité, *figure emblématique du Parti socialiste, Jean Jaurès (1859-1914) fut un pacifiste passionné. Tout en prônant un patriotisme démocratique, il s'opposa de toutes ses forces à la guerre dont il pressentait la monstruosité. Avec son assassinat par le nationaliste Raoul Villain, le 31 juillet 1914, disparaissait toute chance d'éviter le conflit. Le texte qui suit est extrait du dernier article qu'il ait rédigé, quelques jours avant sa mort.*

Songez à ce que serait le désastre pour l'Europe : ce ne serait plus, comme dans les Balkans[1], une armée de 300 000 hommes, mais 4, 5

---

1. **Dans les Balkans** : deux guerres venaient de s'y dérouler en 1912 et en 1913, démembrant partiellement l'Empire ottoman (turc).

et 6 armées[1] de deux millions d'hommes. Quel désastre, quel massacre, quelles ruines, quelle barbarie ! Et voilà pourquoi quand la nuée de l'orage est déjà sur nous, voilà pourquoi je veux espérer encore que le crime ne sera pas consommé. Citoyens, si la tempête éclatait, tous, nous socialistes, nous aurons le souci de nous sauver le plus tôt possible du crime que les dirigeants auront consommé, et en attendant, s'il nous reste quelque chose, s'il nous reste quelques heures, nous redoublerons d'efforts pour éviter la catastrophe. Déjà dans le Vorwärts[2] nos camarades socialistes d'Allemagne s'élèvent avec indignation contre la note de l'Autriche[3] et je crois que notre bureau socialiste international est convoqué. Quoi qu'il en soit, citoyens, et je dis ces choses avec une sorte de désespoir, il n'y a plus au moment où nous sommes menacés de meurtre et de sauvagerie, qu'une chance pour le maintien de la paix et le salut de la civilisation, c'est que le prolétariat[4] rassemble toutes ses forces qui comptent un grand nombre de frères et que tous les prolétaires Français, Anglais, Allemands, Italiens, Russes et nous demandons à ces milliers d'hommes de s'unir pour que le battement unanime de leurs cœurs écarte l'horrible cauchemar.

Jean Jaurès, « Éviter la catastrophe »,
article publié dans la revue *L'Avenir socialiste*, n° 384, 1ᵉʳ-8 août 1914
(reproduit dans Charles Rappoport, *Jean Jaurès*, Paris, *L'Émancipation*, 1915, p. 80-81).

2 *Député, sénateur, ministre, fondateur du journal* **L'Homme libre***, Georges Clemenceau (1841-1929) vibre d'un patriotisme intransigeant. L'article qu'il signe le 2 août 1914, à la veille de l'entrée en guerre officielle de la France, en témoigne. Chef du gouvernement en 1917, il mènera une politique tout entière tournée vers la victoire. Il en gagnera le double surnom de « Tigre » et de « Père la Victoire ».*

---

1. **4, 5 et 6 armées :** il s'agit, pour ce qui est du continent européen, des armées russe, anglaise, française, italienne, turque et allemande.
2. *Vorwärts :* titre de la revue (« *En avant* ») des socialistes allemands.
3. **La note de l'Autriche :** cette « note » était favorable à la guerre ; l'Autriche déclarera officiellement la guerre à la Russie le 5 août.
4. **Le prolétariat :** la classe sociale des ouvriers dans le vocabulaire marxiste.

Thèmes et textes

Quels que soient nos affreux déchirements du passé, le péril est trop grand, en cette heure décisive, pour que, d'un même élan tous les Français d'où qu'ils viennent, où qu'ils aillent, ne se présentent pas aux frontières, fondus de cœur et d'âme, en une seule volonté de suprême énergie. Là, là seulement est la force morale qui peut nous faire supérieurs à tout. Quand le pays, par nous, aura retrouvé la libre possession de lui-même, nous reprendrons nos luttes qui sont l'honneur de la pensée française, puisqu'elles attestent notre recherche passionnée d'un idéal d'ennoblissement humain. [...] Aujourd'hui, que nous veut-on ? Nous vivions en paix. Attentifs à l'organisation de notre défense, rien n'est venu de nous d'où se pût induire une pensée d'offensive ? Et que de fois, pourtant, avons-nous dû, raidis dans une impassibilité de commande, rester sans parole, ni geste, quand passait par-dessus les Vosges[1] la voix de la patrie torturée ! Là-bas, de l'autre côté du Rhin, une nation grande et forte qui a le droit de vivre, mais qui n'a pas le droit de détruire, en Europe, toute vie indépendante, pousse le délire de grandeur jusqu'à ne plus tolérer que la France ose lever la tête lorsqu'elle a parlé. Affolé d'hégémonie[2], l'empereur allemand[3] qui entraîne ses peuples, les yeux fermés, porte inexcusablement, comme sous la hantise des invasions barbares, le coup le plus cruel à tout ce qui fait l'orgueil des peuples civilisés. Il veut *en finir* avec la France, l'Angleterre, la Russie, ignorant qu'on *n'en finit pas* avec des peuples qu'on ne peut ni anéantir, ni assimiler.

Georges Clemenceau, « À la veille de l'action », *L'Homme libre*, 2 août 1914
(dans G. Clemenceau, *Discours de guerre*, Paris, P.U.F., 1968, p. 38-39).

Pour approfondir

---

1. **Par-dessus les Vosges :** depuis la défaite de 1870, l'Alsace et la Lorraine sont des provinces allemandes.
2. **Hégémonie :** domination absolue.
3. **L'empereur allemand :** Guillaume II, né en 1859. Il abdiqua le 9 novembre 1918 et s'exila aux Pays-Bas, où il mourut en 1941.

Thèmes et textes

3 *Écrivain et homme politique, Maurice Barrès (1862-1923) exalte un nationalisme ardent. Les lignes qui suivent sont écrites au lendemain de la (première) bataille de la Marne qui se déroula du 5 au 9 septembre 1914 et empêcha les Allemands de marcher sur Paris.*

La France a retrouvé la victoire. Chacun s'incline pieusement devant les soldats morts au champ d'honneur et salue les drapeaux. La France a le dessus contre la Bête. Le dessus dans un corps-à-corps. Sans doute le résultat final n'a jamais été douteux. Même battus, nous n'aurions pas été vaincus. Supposez notre écrasement, l'Angleterre, la Russie inabordables, tout invincibles par leur situation géographique, imposaient à la longue leur loi à notre adversaire et nous rétablissaient dans Metz et Strasbourg[1], parce qu'elles ont besoin, pour respirer à l'aise, de rompre l'étreinte pangermanique[2] et de briser l'empire. Oui, c'est ainsi, mais qu'il est heureux que nous ayons pu faire nous-mêmes le principal de notre délivrance ! Grâce au génie tenace de notre généralissime[3] et à l'héroïsme de nos soldats, c'est la France elle-même, assistée des Belges et des Anglais, qui, sur sa terre, sous les murs de sa capitale, de ses deux mains a saisi la Bête et qui jette à l'univers le cri de victoire. « Les Allemands ont projeté la destruction de la nation française », avait dit, dans son message à son peuple, le noble roi d'Angleterre[4]. Et le monde s'est soulevé pour empêcher ce crime contre la civilisation. Mais c'est notre jeunesse, comme il convenait, qui au premier rang a prodigué victorieusement les flots de notre sang.

**Maurice Barrès, *Chronique de la Grande Guerre. Septembre 1914*,
Paris, Plon, p. 85.**

---

1. **Metz et Strasbourg :** villes allemandes depuis la guerre de 1870.
2. **Pangermanique :** qui relève du pangermanisme, système politique et de pensée qui vise à regrouper dans un seul et même État tous les peuples supposés d'origine germanique.
3. **Notre généralissime :** Ferdinand Foch (1851-1929), vainqueur de la première bataille de la Marne en septembre 1914. En tant que généralissime, il commande sur tous les autres généraux, français et alliés.
4. **Le roi d'Angleterre :** George V, roi de Grande-Bretagne et d'Irlande de 1910 à sa mort en 1936.

Thèmes et textes

Face à la guerre

La guerre tant redoutée est maintenant une réalité. Comment les Français l'apprennent-ils, s'en persuadent-ils, réagissent-ils ? Chacun, civil ou combattant, en a une vision différente. Voici quelques réactions face à la guerre.

Documents

- ❶ Affiche proclamant l'ordre de mobilisation générale le 2 août 1914.
- ❷ Extrait de *Trente Mille Jours* (1980) de Maurice Genevoix.
- ❸ Extrait du *Feu* d'Henri Barbusse (1916).

❶ *Dans toutes les communes de France, dans la plus grande comme dans la plus petite, est placardée l'affiche suivante. Le président de la République (de 1913 à 1920) Raymond Poincaré veut encore croire, comme il le déclare, que « la mobilisation n'est pas la guerre ».*

Pour approfondir

ARMÉE DE TERRE ET ARMÉE DE MER

ORDRE
DE MOBILISATION GÉNÉRALE

Par décret du Président de la République, la mobilisation des armées de terre et de mer est ordonnée, ainsi que la réquisition des animaux, voitures et harnais nécessaires au complément de ces armées.

Le premier jour de la mobilisation est le

Tout Français soumis aux obligations militaires doit, sous peine d'être puni avec toute la rigueur des lois, obéir aux prescriptions du **FASCICULE DE MOBILISATION** (pages coloriées placées dans son livret).

Sont visés par le présent ordre **TOUS LES HOMMES** non présents sous les Drapeaux et appartenant :

1° à l'**ARMÉE DE TERRE** y compris les **TROUPES COLONIALES** et les hommes des **SERVICES AUXILIAIRES**;

2° à l'**ARMÉE DE MER** y compris les **INSCRITS MARITIMES** et les **ARMURIERS** de la **MARINE**.

Les Autorités civiles et militaires sont responsables de l'exécution du présent décret.

Le Ministre de la Guerre,

Le Ministre de la Marine,

Thèmes et textes

2 Trente Mille Jours *est une autobiographie, dans laquelle Maurice Genevoix se souvient de ces journées d'entrée en guerre de la France. Il effectue alors son service militaire. Ce qu'il écrit est comme une réponse au président Poincaré. Sa réaction fut celle de beaucoup de Français.*

Le 31 juillet, un vendredi, jour de marché à Châteauneuf[1], sans savoir encore que le106e d'infanterie, auquel m'affectait mon ordre de route, avait déjà quitté sa garnison pour « couvrir »[2] au-delà de la Meuse notre dispositif de combat, je savais néanmoins que la mobilisation *était* la guerre. C'est pourquoi j'avais obéi au secret et fort désir de dire adieu à mes horizons familiers. [...] J'emplissais mes regards de bouquets d'arbres, d'eaux calmes et d'eaux glissantes, de toits serrés et fraternels, d'horizons bleus, d'un ciel immense où commençaient à tourner, frouant[3], virant, les vols de martinets[4] du soir : des arbres, mais ces arbres dans le *parc du Château*, ces douves où se reflète le dôme de la *Rotonde*, ces toits de *Bonne Dame* [...]. Entre eux et moi personne ; personne que ma propre enfance et la pensée poignante de ma jeune mère disparue, de ce qui passe et meurt au sein des apparences et de leur trompeuse durée.

**Maurice Genevoix, *Trente Mille Jours*, Paris,
éditions du Seuil, 1980, chapitre IV, p. 123-124.**

---

1. **Châteauneuf :** Châteauneuf-sur-Loire où Maurice Genevoix a passé sa jeunesse.
2. **Pour « couvrir » :** pour protéger et fortifier.
3. **Frouant :** criant.
4. **Martinets :** oiseaux passereaux à longues ailes.

3   *Engagé volontaire, Henri Barbusse (1873-1935) relata son expérience de la guerre dans* Le Feu. Journal d'une escouade. *Publié en 1916, ce récit saisissant des combats valut à son auteur le prix Goncourt en 1917. Le voici subissant avec ses hommes un bombardement intense.*

Dans une odeur de soufre, de poudre noire, d'étoffes brûlées, de terre calcinée, qui rôde en nappes sur la campagne, toute la ménagerie[1] donne, déchaînée. Meuglements, rugissements, grondements farouches et étranges, miaulements de chat qui vous déchirent férocement les oreilles et vous fouillent le ventre, ou bien le long ululement[2] pénétrant qu'exhale la sirène d'un bateau en détresse sur la mer. Parfois même des espèces d'exclamations se croisent dans les airs, auxquelles des changements bizarres de ton communiquent comme un accent humain. La campagne, par places, se lève et retombe ; elle figure devant nous, d'un bout de l'horizon à l'autre, une extraordinaire tempête des choses. Et les très grosses pièces, au loin, propagent des grondements très effacés et étouffés, mais dont on sent la force au déplacement de l'air qu'ils vous tapent dans l'oreille.

Voici fuser et se balancer sur la zone bombardée un lourd paquet d'ouate[3] verte qui se délaie en tous sens. Cette touche de couleur nettement disparate dans le tableau attire l'attention, et toutes nos faces de prisonniers encagés[4] se tournent vers le hideux éclatement.

« C'est des gaz asphyxiants, probable. Préparons nos sacs à figure[5] ! Les cochons !

Ça, c'est vraiment des moyens déloyaux....

Henri Barbusse, *Le Feu. Journal d'une escouade* (1916).

Pour approfondir

---

1. **La ménagerie :** l'artillerie ennemie.
2. **Ululement (ou hululement) :** cri des oiseaux de nuit.
3. **Ouate :** ici, nuage.
4. **Encagés :** ne pouvant sortir de leur abri, les soldats sont comme des prisonniers en cage.
5. **Nos sacs à figure :** nos masques de protection.

Bibliographie et filmographie

Sur la vie et l'œuvre de Maurice Genevoix

Trente Mille Jours de Maurice de Genevoix, éditions du Seuil, 1980 (une autobiographie).

Genevoix à bâtons rompus de Claude Imberti, éditions Paradigme, 1993.

Maurice Genevoix. La Maison de mon père de Sylvie Genevoix, éditions Christian Pirot, 2001.

Pour Genevoix de Michel Bernard, éditions de La Table Ronde, 2011.

Sur *Ceux de 14*

▶ Le texte intégral, revu et définitif, a été publié aux éditions Flammarion en 1949 et réédité dans la collection « Points » en 2011. Les éditions Omnibus l'ont également publié en 2000, avec une préface de Jean-Jacques Becker : « Du témoignage à l'histoire ».

Sur la guerre de 1914-1918

La France en guerre, 1914-1918. La Grande Mutation de Jean-Jacques Becker, éditions Complexe, 1988.

Les Journaux des tranchées de Jean-Pierre Tubergue, éditions italiques, 1991.

Journaux de combattants et civils de la France du Nord dans la Grande Guerre d'Annette Becker, Presses universitaires du Septentrion, 1998.

La France dans la Première Guerre mondiale de Ralph Schor, Armand Colin, 2005.

D'autres récits de guerre

Le Feu d'Henri Barbusse (1916).

Les Croix de bois de Roland Dorgelès (1919).

La Main coupée de Blaise Cendrars (1946).

Orages d'acier d'Ernst Jünger (1920).
▶ La guerre vue du côté allemand.

À l'Ouest rien de nouveau d'Erich-Maria Remarque (1929).
▶ La guerre du côté allemand.

Août 14 d'Alexandre Soljenitsyne, Fayard/Seuil, 1970.
▶ La guerre vue du côté russe.

Bibliographie et filmographie

Les films

Ceux de 14 n'a pas fait l'objet d'une adaptation cinématographique, mais de nombreux films ont retracé la vie des poilus et des combattants de la Première Guerre mondiale. Les plus célèbres sont :

À l'Ouest rien de nouveau de Lewis Milestone (1930), une adaptation du roman de E.-M. Remarque.

La Grande Illusion de Jean Renoir (1937).

Les Sentiers de la gloire de Stanley Kubrick (1957).

La Vie et rien d'autre de Bertrand Tavernier (1989).

La Chambre des officiers de François Dupeyron (2001) sur les mutilés.

Un long dimanche de fiançailles de Jean-Pierre Jeunet d'après le roman de Sébastien Japrisot (2004).

Cheval de guerre de Steven Spielberg (2012).

Pour approfondir

Dans la même collection :

Photocomposition : Jouve Saran
Impression : Rotolito (Italie)
Dépôt légal : Août 2012 - 306874-03
N° Projet : 11040544 - Novembre 2018